Fun한 클래식 이야기

FUN한
클래식 이야기

김수연 지음

가디언

책을 시작하며

책을 쓰며 제가 살아온 시간을 돌아보게 되었습니다. 그리고 음악을 공부하고 음악가라는 직업을 선택해 살아가고 있는 시간을 계산해 보았습니다. 제 생애의 모든 시간을 음악과 함께 했다고 해도 지나침이 없더라고요.

오랜 기간을 음악가로 살면서 '음악과 관련된 내 책을 쓴다. 저자가 된다'라는 것은 너무나 어렵고 두려운 일 중 하나였습니다. 아직도 제 이름으로 된 책이 출판된다는 사실이 믿기지도 않고요. 전문 연주자로서 첫 독주회 무대에 올라설 때의 두근거림과 설렘이 다시 한번 느껴지는 것만 같습니다.

이 책은 그동안 바이올린을 연주하며 다양한 무대에 서는 연주자로, 학교에서 학생들을 가르치며 느꼈던 생각들로, 기업과 여러 기관에서 일반인들에게 클래식 음악을 더 쉽게 알리려 노력했던 강사의 경험으로 완성했습니다.

클래식 음악의 기초적인 이해와 더불어 수많은 명곡을 탄생시킨 작곡가들의 재미난 삶과 그들의 인간적인 모습들을 보면서, 클래식 음악의 매력에 흠뻑 빠질 수 있는 시간이 되셨으면 좋겠습니다.

클래식 음악은 수백 년을 걸치며 발전해 온 음악으로, 여러 작곡가가 그 시대를 살아가며 느낀 개인의 감정과 생각을 음표로 기록한 것입니다. 현대의 연주자들은 개인의 경험과 생각을 바탕으로 하여 이것을 자신만의 감정으로 재해석하지요. 또 이렇게 완성된 연주자들의 연주를 들으며, 감상자들은 각자 나름의 감정대로 한 번 더 재해석을 하게 됩니다. 이처럼 음악이란 시공간을 초월하는 소통의 방법입니다. 게다가 언어 또한 필요하지 않지요.

우리 삶에 엄청난 변화가 생긴 요즘. 언제 끝날지도 모르는 두려움과 답답함의 시간 속에서 '우리에게 가장 필요한 것은 음악이 아닐까?'라는 생각이 들었습니다. 예전처럼 자유롭지 못한 이동과 만남 속에서, 누군가를 대면하여 서로 이해할 수 있는 말과 행동을 주고받기가 힘들어진 이 시대. 음악은 이와 같은 현시대의 빈자리들을 채워 줄 방법입니다.

음악에는 마법과 같은 힘이 있습니다. 즐겁고 기쁜 순간에 더 큰 행복을 불어넣기도 하고 어렵고 힘든 시간에 위로를 건네기도 하지요. 이처럼 우리의 모든 순간에 힘이 되어주는 음악의 이야기를 풀어간 《Fun한 클래식 이야기》가 여러분의 삶에 촉촉한 감성을 채워 줄 수 있는 선물이 되었으면 좋겠습니다.

덧붙여, 각 편에 해당 작곡가의 이야기와 직접 연주한 작곡가의 곡이 담긴 영상의 QR코드를 삽입해 두었는데요. 이야기를 마무리하며 읽은 내용을 다시 한번 영상으로 만나보고, 제가 직접 연주한 곡을 감상하며 여러분의 하루를 더욱 풍성하게 채워보는 것도 좋을 것 같습니다.《Fun한 클래식 이야기》가 여러분에게 '책과 함께하는 음악회'가 될 수 있길 간절히 바랍니다.

2020년 11월
김수연

차례

서문 | **책을 시작하며** · 04

빨간 머리 신부님 | 비발디 · 10

정치인이 된 작곡가 | 베르디 · 18

세상에 반기를 든 천재 작곡가 | 모차르트 · 24

오케스트라 음악의 아버지 | 하이든 · 34

가곡의 왕이라 불리는 남자 | 슈베르트 · 42

천재인가 악마인가? | 파가니니 · 50

사명을 다한 작곡가 | 바흐 · 58

피아노밖에 난 몰라 | 쇼팽 · 68

오뚝이 작곡가 | 헨델 · 78

음악으로 꽃피운 고통 | 차이콥스키 · 88

신앙을 음악에 담아낸 작곡가 | 비버 · 98

마마보이 작곡가 | 비제 · 106

억울한 작곡가 | 살리에리 · 116

시네마 뮤직 | 엔니오 모리코네 ·124

걸크러쉬 작곡가 ·134

법정에 선 작곡가 ·144

음악 사랑, 나라 사랑 ·154

작곡가들의 특별한 취미 ·162

혁명의 작곡가 ·170

클래식 바로 알기

무엇이든 물어보세요 ·180

음악의 뿌리를 찾아서 ·188

악보에 표기된 용어를 알아볼까요? ·194

오페라 이야기 ·203

마에스트로, 지휘자는 누구인가? ·209

빨간 머리 신부님

비발디
Antonio Vivaldi, 1678–1741

한국인이 가장 많이 알고 있는 클래식 작곡가는 누구일까요? 또, 가장 많이 알고 있는 클래식 작품은 무엇일까요? 수많은 작곡가와 작품 중, 1등은 단연코 비발디와 그의 작품 「사계」일 것입니다.

가장 대중적인 클래식 작곡가로 알려져, 친근한 인상을 주는 안토니오 비발디. 이번 편에서는 그의 일생에 대해 알아보고자 합니다.

검색창에 그의 이름을 적었을 때 나오는 연관 검색어 중, 특이한 검색어를 보신 적 있으신가요? 작곡가, 바이올린, 사계 등 쉽게 알아차릴 수 있는 검색어들 사이로, '빨간 머리 신부'라는 검색어가 떡하니 자리를 차지하고 있는 것을 볼 수 있을 텐데요. 비발디를 연상시키는 여러 가지의 단어 중 가장 생소한 단어 '빨간 머리 신부', 과연 이 단어가 비발디와 어떤 관계가 있는지 알아보도록 합시다.

빨간 머리 신부님

비발디는 물의 도시라고 불리는 이탈리아의 베네치아에서 태어났습니다. 그는 칠삭둥이로 태어났다고 알려졌는데요. 베네치아에 일어난 갑작스러운 지진으로 그의 어머니가 벽에 배를 부딪치는 바람에 뱃속의 비발디가 일찍 태어난 것이라고 합니다. 그 이유 때문일까요? 비발디는 커서도 늘 건강이 좋지 않았다고 하네요.

비발디의 아버지는 이발사였습니다. 당시의 이발소에서는 이발사가 손님을 위해 노래를 부르거나 연주를 해 주기도 했는데요. 비발디의 아버지 역시 그랬습니다. 그는 머리를 잘 자르는 능력 외에도 또 다른 재능이 있었지요. 바로 바이올린을 잘 켠다는 것이었습니다. 이 재능 덕분에 그는 성마르코 성당의 바이올린 주자로 스카우트 제안을 받게 된답니다.

비발디는 어려서부터 아버지에게 바이올린을 배웠습니다. 아버지의 재능을 물려받은 덕분인지 그의 바이올린 연주 실력은 아주 탁월했고, 자연스레 비발디는 멋진 음악가가 되는 것을 꿈꾸게 되었습니다. 그러나 부모님의 생각은 전혀 달랐습니다. 당시는 엄격한 신분제도가 존재하는 사회였기 때문이었습니다. 이 사회에서 신분을 상승하는 길은 전쟁에 나가서 엄청난 공을 세우거나, 사제가 되는 길 뿐이었거든요.

비발디는 부모님을 이기지 못하고 신학교에 입학하게 됩니다. 그러나 그는 신학교에 진학해서도 좋지 않은 건강 탓에, 기숙사 생활조차 하지 못했다고 합니다. 그는 집에서 통학을 하며 공부를 할 수 밖에 없었지요. 결국 그는 25세에 가까스로 신부가 될 수 있었습니다. 작곡가인 줄로만 알았던 비발디. 그는 그렇게 우여곡절 끝에 신부님이 되었지요. 그리고 태어날 때부터 빨갛던 머리카락 때문에 '빨간 머리 신부님'이라고 불리게 되었답니다.

작곡가 비발디

비발디가 태어나고 활동했던 당시의 베네치아는 지중해 해상무역의 중심지였습니다. 그래서 화폐가 가장 많이 모이는 도시였지요. 덕분에 베네치아에는 가면축제인 카니발이 아주 유명했는데요. 현대에도 전 세계인이 즐기는 이 축제가 당시에는 일 년 중 절반에 가깝게 열렸다고 합니다.

　　　화려한 도시의 모습을 한 베네치아. 그 뒤편엔 한 가지 아픔이 존재했습니다. 바로 카니발 축제 기간에 태어나자마자 길바닥에 버려지는 아이들이 아주 많았다는 것입니다. 그래서 베네치아 곳곳에는 이런 아이들(카니발 베이비)을 양육하고 교육하는 시설들이 생겨났지요. 그리고 비발디 또한 이러한 시설 중 한 곳에서 일하게 됩니다.

25세에 신부가 된 비발디는 천식 탓에 미사를 끝까지 집전하는 것조차 힘들다고 고통을 호소하였습니다. 결국 그는 몇달 후 피에타 병원에서 운영하는 피에타 음악원 '오스페달레 델라 피에타 Ospedale della Pietà'에서 바이올린과 음악을 가르치는 음악 교사로 지원하게 되지요. 이곳이 바로 카니발 베이비를 교육하는 시설 중 한 곳이었답니다. 그가 지원한 자리는 오늘날의 특수 사목 정도로 볼 수 있겠네요.

비발디가 일하게 된 음악원은 여자아이들만이 입소할 수 있는 사회복지 시설로, 아이들의 올바른 교육과 음악 교육을 목표로 하는 기숙 음악 학교였습니다. 비발디는 피에타 음악원에서 무려 35년 동안 일했습니다. 그리고 학생들을 교육하기 위해 500여 곡이 넘는 작품을 작곡했지요. 그리고 보면, 피에타 음악원의 어린 학생들이 비발디의 작품 대부분을 초연한 연주자나 다름이 없네요.

피에타 음악원 학생들의 연주실력은 아주 뛰어났다고 알려졌는데요. 이 학교의 오케스트라는 베네치아의 명물이 되었고, 그들의 음악회를 보기 위해 일부러 외국에서 찾아오는 사람들도 있었다고 합니다. 그 중 영국에서 온 한 청중은 음악회를 보고 영국으로 돌아가 사람들에게 피에타 음악원을 이렇게 소개했습니다.
"이곳에는 매주 일요일과 축일에 콘서트가 열리는데, 노래를 부르고 악기를 연주하는 소녀들이 너무나도 훌륭하다.
이 콘서트는 안토니오 비발디가 이끌고 있고, 그가 작곡한
훌륭한 곡들을 소녀들이 연주한다."

비발디의 주옥같은 작품들의 원천은 바로 피에타 음악원의
학생들이 아니었을까요? 이 학생들 덕분에 그가 더욱 음악에 열정을
쏟아부을 수 있었을 것이라 생각합니다.

비발디의 작품

비발디는 무려 500여 곡이나 되는 많은 작품을 작곡했습니다. 그중
에서도 가장 많이 알려진 작품은 단연 「사계」이지요. 이번에는 비발
디의 가장 대표적인 작품 「사계」에 대해 알아봅시다.

이 작품은 1725년 보헤미아 모르친 백작에게 헌정한 「화성과
창의의 시도」 12개의 작품 중 첫 번째부터 네 번째까지의 작품입니
다. 사계절(봄, 여름, 가을, 겨울)의 제목이 붙여져 있고 계절마다 3개
의 악장으로 구성되어 있지요. 빠른 악장 중간에 느린 템포의 악장이
들어간 구성으로 만들어져 있는데요. 소네트sonnet(13세기부터 이탈리
아에 있었던 14행시)라는 시가 각각 붙여져서 사계절의 모습이 더욱
생생하게 표현되고 있습니다. 이처럼 「사계」는 계절과 자연의 변화

무쌍함과 그 계절을 만끽하며 사는 사람들의 모습을 음악으로 잘 표현한 작품이랍니다.

곡마다 붙은 소네트 예시

봄 : 봄이 왔다. 새들은 즐거운 노래로 봄을 선사한다. 그때 샘물은 하늘거리며 미풍에 상냥한 속삭임 소리를 내면서 흐르기 시작한다.

여름 : 이 가혹한 계절에는 불타는 듯한 태양에 사람도 가축 떼도 활기를 잃고 있다.

가을 : 마을 사람들은 춤과 노래로 푸짐한 수확의 기쁨을 축하한다.

겨울 : 추워서 쉴새 없이 발을 구르며 달린다. 너무 추워서 이빨이 딱딱 부딪친다.

「사계」는 독주 바이올린과 소규모 앙상블이 함께 연주하도록 편성되어 있는데요. 바이올린 연주자라면 꼭 한 번은 연주해야 하는 프로그램이랍니다.

저는 개인적으로 「사계」 중 여름의 3악장을 좋아합니다. 뜨거운 여름 태양처럼 우리가 치열하게 살아가는 모습을 느낄 수 있기 때문이지요. 또한, 여름의 변덕스러운 날씨 탓에 갑자기 천둥과 번개가 치는 것을 음악으로 묘사한 부분에서는 사람들이 당황하며 비를 피하려 뛰어다니는 모습이 떠오른답니다. 그리고 인간적인 정겨움이 느껴지기도 하지요.

여러분은 사계 중 어느 계절을 가장 좋아하시나요?

클린이를 위한 감상 tip

연주한 곡은 비발디의 「사계」중 여름 3악장입니다. 갑자기 먹구름이 몰려와 천둥과 번개가 치고 우박이 쏟아지며 비가 내리는 변덕스러운 여름 날씨를 음악으로 묘사하고 있는데요. 갑작스레 쏟아지는 비에 놀란 사람들이 이리저리 비를 피해 뛰어다니는 모습이 연상됩니다. 음악 속에 나타난 친근한 모습들이 꼭 우리의 삶과 다를 바가 없는 것 같네요.

정치인이 된 작곡가

베르디
Giuseppe Verdi, 1813–1901

클래식 작곡가 중에는 장수한 사람이 많지 않습니다. 모차르트는 35세, 슈베르트는 31세, 멘델스존은 38세로 모두 젊은 나이에 세상을 떠나 안타까움을 더했지요. 그러나 이탈리아의 작곡가 주세페 베르디는 다릅니다. 그는 당시 평균 수명보다 훨씬 높은 88세의 나이까지 장수했고, 심지어 80세에도 작곡을 하는 등 노익장을 과시하기도 했답니다. 베르디가 남긴 오페라들은 지금까지도 널리 연주되고 있으며 전 세계인이 사랑하는 작품으로 가슴 속에 새겨져 있지요.

우리나라에서는 그의 오페라 중 「라트라비아타춘희」가 1948년에 초연되기도 했는데요. 이탈리아 최고의 작곡가이자 정치가로 활동하기도 했던 주세페 베르디를 만나보겠습니다.

작곡가 베르디의 삶

베르디는 이탈리아의 무척 가난한 시골 마을에서 태어났습니다. 그는 어릴 적부터 음악에 재능을 보였지요. 그러나 집안 형편이 매우 좋지 않아 음악공부는 꿈도 꿀 수 없는 처지였습니다. 그러던 어느 날, 아버지의 친구인 바레치Barezzi가 구세주처럼 등장합니다. 그는 재능이 있는 친구의 아들이 금전적인 문제 때문에 음악을 할 수 없는 것을 안타깝게 여겼지요. 그래서 그는 베르디에게 밀라노 유학의 기회를 제공해 주는 등 베르디가 음악을 공부할 수 있도록 적극 도와주었는데요. 학교에서 전문적인 음악교육을 받게 된 베르디는, 26세에 오페라 「오베르토」를 작곡하며 사람들에게 이름을 알리게 됩니다. 이후 그는 밀라노에서 결혼식을 올리고 가정도 꾸리게 되지요.

그러나 그의 행복한 시간은 그리 오래가지 못했습니다. 사랑하는 아내와 두 자녀가 모두 병으로 세상을 떠나게 되었거든요. 또한, 베르디가 두 번째로 작곡한 작품은 엄청난 실패로 끝이 나기도 했답니다.

가정과 음악에서 크나큰 상실과 슬픔을 느낀 베르디는, 좌절하여 모든 것을 포기하려고 합니다. 그러나 결국 마음을 부여잡고 한 번 더 용기를 내지요. 이때 탄생한 것이 바로 오페라 「나부코」입니다. 그가 29세 때의 일이었지요.

「나부코」는 엄청난 성공을 거두었고, 베르디는 음악계에서 작곡가로서의 입지를 굳히게 되었습니다. 이후 그는 본격적으로 음악가의 삶을 살게 되었지요.

　　「나부코」가 큰 인기를 끌게 된 이유는 시대적 분위기에 있었습니다. 당시 이탈리아는 오스트리아로부터 독립을 열망하고 있었는데요. 오페라 「나부코」의 줄거리가 바로 성경의 내용을 바탕으로 하여 핍박받는 히브리 노예들의 삶을 그린 것이기 때문이었습니다. 오페라 속 '히브리 노예들의 합창'의 멜로디와 가사가 그 당시 이탈리아 국민의 자유를 열망하는 간절한 마음을 대변해 준 것이지요. 이후 베르디의 장례식에서는 그가 가는 마지막 길을 함께 하고자 모인 사람들이 이 곡을 합창하며, 베르디에게 작별의 인사를 건네기도 했다고 하네요.

　　「나부코」 이후 작곡된 베르디의 오페라들은 모두 성공을 거두었습니다. 38세에 작곡한 「리골레토」, 40세에 작곡한 「일 트로바토레」, 「라트라비아타」, 58세에 작곡한 「아이다」, 70세에 작곡한 「오텔로」가 그것이지요. 또한, 그가 80세에 작곡한 유작 「팔스타프」는 아주 유쾌한 줄거리를 가진 것으로 유명한데요. 말년에 모든 것을 이루고 성공한 사람의 행복과 여유를 느끼게 해주는 작품이랍니다.

　　이토록 유명한 작품들이 모두 베르디의 손에서 쓰였다니, 정말 놀랍지 않나요? 베르디의 작품이 대성할 수 있었던 이유 중 하나는 베르디의 유년시절에서 찾아볼 수 있을 것 같은데요. 누구에게나 감동을 줄 수 있는 대중적인 작품들을 탄생시킨 베르디. 유년시절, 시골에서 서민적인 삶을 살았던 경험이 베르디의 음악활동에 큰 도움이 되어주었던 것 같습니다. 이렇게 인기를 얻은 베르디는 이탈리아 국민에게 영웅처럼 존경받는 유명 작곡가가 되었습니다. 실제로 당시 베르디의 집이 어디인지 이탈리아 국민 모두가 알고 있을 정도였다고 하니, 그의 유명세가 정말 대단했던 것 같습니다.

정치인 베르디의 삶

우리나라에서도 문화 예술인이 정치인이 될 경우, 문화 예술 발전에 도움이 되는 정책을 많이 펼치지요. 이탈리아 국민의 감성에 엄청난 영향을 주었던 베르디도 그랬답니다. 베르디는 47세에 국회의 의원으로 추천되어 5년간 국회의원으로 활동했습니다. 그리고 재임 동안 로마, 나폴리, 밀라노의 오페라 극장에 재정적인 도움을 주며 오페라 발전에 힘을 썼습니다. 또한, 자신이 60년 넘게 음악가로 살며 번 돈을 모두 모아 음악가들을 위한 집을 짓기도 했는데요. 경제적으로 힘든 상황에 처해 있는 음악인들이 편히 노후를 보낼 수 있도록 보금자리를 만들어 준 것입니다. 이후 베르디는 자신이 지어 놓은 그 집의 근처에 묻혀 음악인들과 함께 영원히 잠들기도 했지요.

지금도 베르디의 유언대로 나이가 많거나 경제적으로 어려움이 있는 이탈리아의 음악가들은 누구나 이곳에서 편히 쉴 수 있는 자격을 준다고 합니다.

이처럼 음악도, 심성도 훌륭했던 베르디. 그의 장례식은 이탈리아 전역에서 모인 국민 덕에 엄청난 인파로 넘쳐났다고 합니다. 그 수가 무려 20만 명에 달할 정도였거든요. 또한, 이탈리아의 한 신문사에서는 베르디의 죽음을 애도하는 의미에서 신문 1면에 검은 리본을 인쇄하기도 했지요. 이처럼 베르디는 모든 사람에게 존경받았던 인물이자, 지금까지도 이탈리아 국민의 마음 속에 영원히 살아있는 작곡가랍니다.

Classic For You

＊**Verdi**

♪ 오페라 「아이다」 중 '개선행진곡'
♪ 레퀴엠 「진노의 날」
♪ 오페라 「나부코」 중 '히브리 노예들의 합창'
♪ 오페라 「라트라비아타」 중 '프로벤자 내 고향'
♪ 오페라 「리골레토」 중 '그리운 그 이름'

세상에 반기를 든 천재 작곡가

모차르트

Wolfgang Amadeus Mozart, 1756~1791

코로나19 바이러스 탓에 국외여행이 어려워지기 전까지만 해도 유럽여행, 그 중에도 특히 빈Wien에 다녀오신 분들이 주로 선물하던 기념품이 있습니다. 바로 천재 작곡가 모차르트의 얼굴이 새겨져 있는 초콜릿과 메모지, 연필 등인데요. 모차르트는 클래식 작곡가 중 상품 속에서 가장 많이 찾아볼 수 있는 작곡가인 것 같습니다.

우리가 천재 작곡가, 혹은 신동이라 알고 있는 볼프강 아마데우스 모차르트. 이번 편에서는 모차르트가 우리에게 남긴 음악에 관한 이야기가 아닌, 의식 있는 작곡가 모차르트의 시대를 앞서 나간 생애에 관해 이야기해 보고자 합니다.

모차르트가 살던 시대

18세기 중반 유럽은 절대 왕권주의였던 사회에 새로운 변화가 찾아오던 시기였습니다. 계몽주의*와 인본주의 사상을 바탕으로 인간, 자유, 권리 등의 가치가 점차 중요시 여겨졌고, 새롭게 부상한 시민 계급이 기존의 절대주의와 대립하며 균형을 맞추고 살아가던 시기였지요.

일찍이 의식이 깨어 있던 일부의 계몽 군주들은 이러한 사회 변화를 받아들여, 뛰어난 철학가나 예술가들과 교류하였습니다. 또한, 그것을 발판 삼아 더욱 발전적인 세상으로 나아가고자 했습니다.

중세시대에는 종교적인 경계선이 존재했습니다. 그 선을 벗어난 사람은 사회적으로 인정하지 않는 것이 당연한 일이었지요. 그렇다면 이와 같은 시대에 태어난 어린아이가 뛰어난 신동이었다면 어땠을까요? 아마도 그 아이에게 마귀가 들렸다고 믿으며 사회에서 배척하려 하지 않았을까요?

그러나 천재 작곡가 모차르트는 앞서 말한 시대와 달리, 신동을 '이상한 아이'에서 누구나 원하는 '뛰어난 아이'로 인식하던 시기에 태어났습니다. 심지어는 신동이 새로운 아이콘으로 여겨지기도

---

* 계몽주의 : 16-18세기에 유럽 전역에서 일어난 혁신적 사상이다. 인간적이고 합리적인 생각을 중시하며 생각의 계몽을 통해 삶의 발전을 이루고자 했다.

할 때였지요. 이러한 시대적 분위기 속에서 3세 때부터 피아노를 치기 시작한 모차르트. 그는 처음 듣는 곡을 그대로 악보에 옮기고 막힘없이 악보를 읽으며 연주를 하기도 하는 등 놀라운 신동의 모습을 보였습니다.

모차르트는 바이올린 연주자인 레오폴드 모차르트Leopold Mozart의 막내아들로, 음악이 늘 함께하는 가정환경에서 자랐습니다. 그래서 3세부터 피아노를 연주할 수 있었던 것이지요. 심지어 5세부터는 작곡을 하기도 했다고 합니다. 그의 아버지는 이런 모차르트가 얼마나 자랑스러웠을까요? 자신의 막내아들이 당대의 아이콘이었던 '신동'이었으니 말이에요.

레오폴드 모차르트는 아들을 유럽에서 최고로 만들어야겠다고 생각했습니다. 그래서 6세가 된 모차르트를 데리고 유럽의 여러 궁정을 돌아다니며 연주 여행을 시작했지요. 모차르트가 고향인 오스트리아의 잘츠부르크를 벗어나, 더 넓은 곳에서 성공하기를 바랐던 것입니다.

어린 시절의 연주 여행은 모차르트의 음악에 큰 밑거름이 되었습니다. 외국어를 자연스럽게 익힐 수 있었고 당시 유행하는 음악과 분위기를 모두 파악할 수도 있었지요. 그리고 유명 음악가들의 많은 음악도 듣고 접할 수 있었답니다.

모차르트의 천재성을 알아본 귀족들은 그에게 작품을 작곡해 달라고 부탁하였습니다. 덕분에 그는 피아노, 바이올린을 위한 독주곡들과 실내악, 교향곡, 오페라 등을 작곡하며 거의 모든 음악 장르를 섭렵하게 되었지요. 그는 무려 교향곡 50개, 피아노협주곡 25개, 바이올린 협주곡 7개, 바이올린 소나타 35개, 디베르티멘토 3개, 클라리넷 협주곡 1개와 오페라 「피가로의 결혼」, 「돈지오반니」, 「마적」, 「후궁으로부터의 도주」, 「코지판투테」 등을 작곡하며 활발한 음악 활동을 펼쳤답니다.

모차르트는 고향인 잘츠부르크로 돌아와 작곡가로 활동하며, 잘츠부르크 대주교 아래에서 음악가로 일했습니다. 그러나 대주교와의 마찰이 끊이질 않았지요. 잘츠부르크는 모차르트의 음악적 역량을 감당하기에는 너무나도 작은 도시였습니다.

그는 다른 곳에서 일자리를 구하고자 노력했는데요. 독일의 만하임과 뮌헨, 프랑스의 파리를 돌아다니며 일자리를 구했으나 쉽지 않았습니다. 천재적인 작곡가가 일자리를 구하지 못해 고생했다니, 믿어지시나요? 아마도 모차르트의 음악적 역량이 너무나 뛰어나서 그것을 감당할 수 없었기 때문이 아니었을까 생각합니다. 아니면, 모차르트의 어디로 튈지 모르는 성격이 문제가 되었을 수도 있겠네요.

당시 음악가들은 왕실이나 귀족, 교회에 소속되거나, 그로부터 후원을 받고 있었습니다. 오늘날의 음악가처럼 자신의 작품과 연주만으로 인정받으며 살 수 있는 사회가 아니었지요. 당시 음악가는 궁정과 교회에서 음악을 담당하는 하인이었습니다.

그러나 모차르트의 번뜩이는 아이디어와 어마어마한 음악적 감수성은 당시 신분 사회가 억압할 수 없을 만큼 대단했습니다. 그래서 결국 그는 잘츠부르크 대주교에 반기를 들며 일자리를 박차고 나오게 됩니다. 그리고 오스트리아의 빈으로 떠나게 되었지요. 하인의 신분을 탈피하고자 했던 그는 더는 귀족들의 눈치를 보지 않고 마음껏 자신만의 음악 세계를 펼치리라 마음먹습니다.

계몽주의와 인본주의 사상을 바탕으로 한 프리메이슨*의 회원이었던 모차르트는 몇몇 귀족을 위한 음악이 아니라, 많은 이들과 함께 감성을 나누고 소통할 수 있는 음악을 원했습니다. 그래서 '나만의 음악으로 당당하게 먹고살겠다!' 다짐하며, 음악가로서 독립 선언을 하지요. 다시 말해, 최초로 프리랜서 선언을 한 것입니다.

프리랜서의 삶

빈에서 살게 된 모차르트는 그곳에서 사랑하는 여인을 만나 가정을 꾸리게 됩니다. 콘스탄체Constanze라는 여인을 만나 결혼을 하게 되

---

* 프리메이슨 : 18세기 초 시작된 계몽주의 정신을 바탕으로 하여 박애, 친선을 도모했던 민간단체이다. 합리주의, 자유주의 사상을 가졌다.

지요.

결혼을 다짐했을 당시, 모차르트와 콘스탄체의 집안에서는 모두 결혼을 반대했다고 합니다. 모차르트의 아버지는 "아직 안정된 직업도 가지지 못했는데 무슨 결혼이냐?"라고 이야기했고, 콘스탄체의 부모님 또한 "수입도 변변치 않게 음악이나 하는 한량인 것 같은데?"라고 말하며 반대했지요. 그러나 두 사람은 결국 결혼에 성공합니다. 그리고 일 또한 잘 풀려 당당히 음악가로 인정받으며 살게 되지요. 모차르트는 학생들을 가르치고 의뢰받은 곡들을 작곡하며 충분한 돈을 벌었습니다. 하지만 부부의 씀씀이는 만만치 않았고, 두 사람은 늘 부족한 생활비에 시달렸다고 합니다.

1791년, 모차르트는 그가 마지막으로 의뢰받은 작품인 레퀴엠(죽은 이의 영혼을 위로하기 위한 미사곡)을 작곡하던 중, 고열과 오한으로 몸져눕게 됩니다. 그리고 미처 곡을 완성하지 못하고 세상을 떠나게 되지요.

자신의 레퀴엠을 작곡하기라도 했던 것일까요? 반짝반짝 빛나는 재능을 가진 작곡가 모차르트. 35세의 짧은 생을 살았지만, 350년 이상의 삶을 산 것처럼 우리 인류에게 크나큰 음악적 가치를 남긴 작곡가입니다.

그가 세상을 떠난 후 장례식을 보면, 당시 음악가의 사회적 위치가 어느 정도였는지 엿볼 수 있습니다. 그의 장례식은 공동으로 치러졌고, 참석자 또한 가족과 친구들 몇명이 전부였지요. 게다가 장

레식 당일 무척 심했던 눈보라 탓에, 부인을 비롯하여 함께 장례식에 참석한 사람들 모두가 식을 끝까지 보지 못하고 중간에 돌아갔다고 합니다. 그 탓에 지금까지도 모차르트가 정확하게 어디에 묻혀있는지는 알 수가 없답니다. 비엔나 성마르크스 공동묘지에 그의 묘비가 있지만, 그 또한 근처 어디쯤 묻혔으리라 추정하고 세운 것이지요.

그의 음악을 들으면 기쁘면서 슬프기도 하고, 재미있으면서 무겁기도 하고, 밝으면서 어둡기도 한 복합적인 감정이 느껴집니다. 이런 감정을 느낄 때면, 이 느낌이 바로 모차르트의 천재성과 그의 삶이 융합되어 음악으로 나타난 것이라는 생각이 든답니다.

저는 작곡가 모차르트를 이렇게 말하고 싶습니다.

"100년 만에 한 번 나올까 말까 했던 천재. 당시 최고의 권력자(잘츠부르크 대주교)에게 반기를 들며, 자신의 삶을 찾았던 용기 있는 남자."

오늘날에는 프리랜서로 활동하는 음악가들이 참 많습니다. 저 역시도 그렇지요. 어찌 보면, 프리랜서라는 삶은 모차르트로 인해 처음 시작된 것인데요. 현실적으로 따져보면 경제적인 부분이 보장

되지 않는 삶에 늘 불안하고, 어려움을 겪기도 하는 것 같습니다. 하지만 프리랜서 음악가들 모두가 음악을 사랑하는 마음으로 꿋꿋이 이 시련을 이겨 나가고 있지요. 특히나 코로나19 시대가 도래한 요즘, 많은 어려움을 겪고 있는 프리랜서 음악가들에게 진심을 담은 응원을 보냅니다. 우리 모두 힘냅시다!

＊**Mozart**

♪ 아이네 클라이네 나흐트무지크 K.525

♪ 피아노 협주곡 제20번 D단조 K.466

♪ 피아노 소나타 제11번 A장조 K.331 '터키 행진곡'

♪ 교향곡 제41번 C장조 K.551 '주피터'

♪ 작은 별 변주곡 K.265

클린이를 위한 감상 tip

모차르트의 레퀴엠 중 '눈물의 날라크리모사'을 연주했습니다. 모차르트는 이 곡의 8마디만을 작곡하고 세상을 떠났는데요. 이후의 부분은 그의 제자가 완성하였으나, 모차르트가 작곡한 선율을 반복하며 전체를 이루지요. 끝까지 곡을 완성하고자 안간힘을 썼던 모차르트의 마음이 담겼기 때문일까요? 그의 다른 곡들보다 더욱 애절하고 안타까운 마음이 느껴지는 곡입니다.

Classical music

오케스트라 음악의 아버지

하이든

Franz Joseph Haydn, 1732–1809

'클래식 음악'하면 오케스트라 연주를 생각하시는 분들이 많습니다. 그래서 이번 편에는 오케스트라의 아버지라고 불리는 작곡가, 고전주의 시대를 살았던 프란츠 요제프 하이든에 대해 알아보려고 합니다. 그는 유명한 작곡가인 모차르트와 베토벤의 스승이었고, 현재 독일 국가의 멜로디를 작곡한 인물이기도 하지요. (하이든의 현악 4중주 '황제' 2악장 선율)

하이든의 일생

하이든은 오스트리아에서 가난한 마차 수리공의 아들로 태어났습니다. 그는 뛰어나게 좋은 목소리 덕에 성가대에 들어가 16세까지 노래를 했지요. 그러나 가난했던 집안 형편 탓에, 음악학교에 진학하여 음악 공부를 하고자 했던 꿈은 이룰 수가 없었습니다. 그는 음악을 하고자 하는 강한 의지만으로 열심히 독학하여, 자신의 힘으로 성공한 작곡가이지요.

매사에 열심히 임하며, 눈에 띄게 성실했던 하이든은 주위 사람들에게 음악으로 인정받게 됩니다. 그 덕분에 모르친 백작의 집안에 취직하여 집안의 음악을 담당하게 되지요. 그는 그곳에서 일하며 본격적으로 오케스트라 곡을 작곡하기 시작하였습니다. 그러나 얼마 지나지 않아 모르친 백작 가문의 재정상태가 급격히 기웁니다. 그리고 하이든은 모르친 백작의 소개로 당시 엄청난 재력과 권력을 가졌던 에스테르하지 가문(18세기-19세기 헝가리 명문 가문. 함스부르크가에 정치가와 장군들을 배출한 권력과 재력을 가진 가문)에서 일하게 되었지요.

헝가리 출신인 부호 에스테르하지 후작은 프랑스 베르사유 궁전에 자극을 받아, 헝가리에 어마어마한 에스테르하지 별장을 지었습니다. 이 별장은 휴가철에 후작의 여름휴가를 위해 쓰이기도 했고, 다른 귀족들을 초대하여 머물게 하면서 자신의 부를 자랑하는 용도로 쓰이기도 했답니다. 이렇게 매일같이 열리던 귀족들의 파티에 음악이 빠질 수는 없었겠지요? 당시의 음악가들은 귀족에게 아주 좋은 스피커를 단 오디오와 같은 존재였으니, 당연히 별장에도 상주 음악가들이 필요했습니다. 하이든은 후작과 인연이 되어 에스테르하지 궁전의 음악을 책임지는 궁정악장으로 취직하였고 그곳에서 30년 가까이 일하게 됩니다. 우리가 알고 있는 하이든의 작품 대부분이 바로 이곳에서 탄생했지요.

하이든은 에스테르하지 가문에서 일하며, 유럽의 귀족들과 친분을 쌓았고, 그들에게 인정받게 되었습니다. 이후 그의 이름은 이탈리아와 프랑스 등 각지로 알려지게 되었는데요. 특히 영국에서는 하이든을 초청하여 콘서트를 열어주기도 하였답니다. 이 당시 탄생했던 작품이 바로 12곡의 런던 교향곡이지요. 1791년에서 1795년 사이에 작곡된 교향곡들이랍니다.

하이든은 77세까지 살다가 세상을 떠났습니다. 다른 클래식 작곡가들과 비교하자면 오래 살았던 작곡가 중 한 명이지요.

하이든의 장례식은 간소하게 치러졌고, 11년 후 에스테르하지 가문에서는 하이든의 공적을 생각하여 그의 유해를 자신들의 가족묘로 옮기려 했습니다. 그런데 이장을 위해 무덤을 파헤쳐 보니, 시신의 머리가 사라진 채 몸만 덩그러니 남아있는 게 아니겠어요? 그들은 즉시 하이든의 두개골을 찾기 위해 여기저기 수소문을 하였습니다. 그리고 마침내, 에스테르하지 가문의 비서가 그의 두개골을 영구보전하며 연구하기 위해 가져갔다는 사실을 알게 되었지요.

그는 결국 하이든의 두개골을 다시 돌려주었는데요. 알고 보니 그가 돌려준 두개골은 하이든의 것이 아닌 타인의 시신에서 가지고 온 것이었다고 합니다. 그는 하이든의 두개골을 흥정하여 다른 사람에게 더 비싼 값에 팔아넘기기 위해 이런 일을 벌였다고 하네요.

하이든의 머리는 이후 100년이 넘도록 유럽을 떠돌며 팔리게 되었는데요. 그의 몸과 머리는 우여곡절 끝에 145년이 지난 후, 그의 탄생 200주년을 기념하는 기념 묘를 만들 때가 되어서야 다시 만날 수 있게 되었답니다.

그의 기념 묘를 만드는 행사에는 오스트리아의 대통령을 포함한 많은 사람이 함께했고, 모두가 하이든이 드디어 평안히 잠들 수 있기를 기원했다고 합니다.

하이든의 작품

하이든이 살던 시대에는 교향곡, 즉 오케스트라를 위한 곡이 인기를 끌었습니다. 많은 이들이 노래가 아닌 악기로 연주하는 곡을 좋아하게 되었고 연주시간이 긴 곡들도 많이 작곡되었지요. 하이든은 오케스트라 곡을 100곡이 넘게 작곡하고, 오케스트라 작품의 형식을 잘 정리했던 작곡가로 교향곡의 아버지라 불리는데요. 이번에는 그가 작곡한 수많은 작품 중 두 개의 작품을 알아보고자 합니다.

놀람교향곡, 교향곡 제94번 G장조 「놀람」

이 작품은 하이든이 영국에 초청 받았을 때, 런던의 청중을 위해 작곡한 12곡의 런던 교향곡 중 한 곡입니다. 이 곡은 런던의 많은 관객이 관람하는 콘서트홀에서 연주되었으며, 당시 공연은 오케스트라 연주 인원이 무려 60명이나 되는 큰 규모의 공연(에스테르 귀족들을 위한 연주곡들은 대부분 13~16명의 연주자가 연주)이었다고 합니다.

모두 4개의 악장으로 되어있는 이 곡의 특징은 2악장에 있습니다. 2악장은 단조로운 선율의 멜로디를 매우 여리게피아니시모, PP 연주하다가, 갑자기 매우 크게포르티시모, ff 연주하여 청중을 깜짝 놀라게 하지요. 하이든은 유머러스한 성격을 가졌다고 알려졌는데요. 평소 귀족들이 음악회에 와서 음악감상을 하며 조는 경우가 많아, 그들을 놀려주고 싶은 마음에 이런 곡을 작곡한 것이라는 소문이 있답니다. 그래서 이 곡의 별명이 '놀람'인 것이지요. 실제로 연주회에 왔던 한 부인이 음악을 들으며 졸다가, 갑작스러운 소리에 놀라 자리에서 벌떡 일어났다는 재미난 일화가 있기도 하답니다.

고별교향곡, 교향곡 제45번 F단조 「고별」

이 곡에 대해서 알아보다 보면, 하이든이 음악 활동을 하던 당시에 음악가의 사회적 위치가 어땠는지 알 수 있는데요. 당시 음악가는 귀족에게 소속되어 음악을 담당하는 하인이었지요. 그리고 하이든은 이에 늘 불만을 품고 있었습니다. 그래서 그는 음악가의 위치를 높이려 여러 노력을 했답니다.

1772년, 무척이나 더웠던 여름. 에스테르하지 후작은 자신의 별장에 아주 오랫동안 머물며 여름휴가를 즐기고 있었습니다. 후작과 그의 가족에겐 더없이 행복한 여름휴가였지만, 과연 당시 별장에서 일하던 고용인들의 마음은 어땠을까요? 쉬는 날 없이 매일 연주를 해야 했던 별장의 음악인들은 덥고 힘든 그 여름을 견디다 못해 하이든에게 불만을 표출합니다. "우리도 좀 쉬고 싶어요!"

궁정악장이었던 하이든은 어떻게 해야 후작에게 단원들의 불만을 잘 전달할 수 있을지 고민에 빠지게 되지요. 이 고민 끝에 탄생한 곡이 바로 고별교향곡입니다.

이 작품의 4악장은 왠지 모를 슬픈 선율로 음악이 시작되는데요. 이후 지휘자인 하이든의 지시에 따라, 연주하던 단원들이 한 사람씩 무대 위의 촛불을 끄고 퇴장합니다. 그리고 마지막은 하이든이 무대 위 어둠 속에서 조용히 악보를 접고 퇴장하는 것으로 끝이 나지요. 과연 이 무대를 본 에스테르하지 후작의 반응은 어땠을까요? 후작은 하이든의 기막힌 센스를 알아채고 단원들 모두에게 휴가를 주었다고 합니다. 그리고 오늘날에도 이 곡을 연주할 때에는 원곡의 느낌을 살려 퇴장하는 퍼포먼스를 보이기도 한답니다.

Classic For You

＊**Haydn**

♪ 현악 4중주 제64번 라장조 '종달새' 1악장

♪ 트럼펫 협주곡 내림 마장조 3악장

♪ 오라토리오 「천지창조」

♪ 교향곡 제45번 올림 바단조 '고별'

♪ 교향곡 제101번 라장조 '시계'

클린이를 위한 감상 tip

하이든의 현악 4중주 "황제"중에서 2악장의 주 멜로디를 연주했습니다. 2악장 전체 구성은 오스트리아의 옛 국가 「신이여 황제를 보호하소서」를 주제로 하여 여러 개의 모습으로 변주된 형식을 가진 작품인데요. 단조로움 속에서 순수함을 느낄 수 있는 곡으로 하이든의 현악 4중주 작품 중에서 자주 연주되는 곡 중 하나입니다.

가곡의 왕이라 불리는 남자

슈베르트

Franz Peter Schubert, 1797-1828

평생 작곡가 베토벤을 롤 모델로 삼아 존경하고 살았던 작곡가가 있습니다. 그는 베토벤의 장례식 때 그의 관을 운구하였으며, 사망 후에는 베토벤의 묘지 옆에 나란히 잠들었지요. 바로 프란츠 페터 슈베르트입니다.

슈베르트의 일생

오스트리아의 초등학교 교장이었던 아버지와 요리를 잘했던 어머니 사이에서 태어난 슈베르트. 그는 음악을 좋아했던 집안 분위기 덕에 자연스럽게 음악을 배울 수 있었습니다. 하지만 집안 형편이 좋지 않았던 탓에, 그의 아버지는 슈베르트가 커서 교사가 되어 안정적인 직장을 갖길 바랐지요.

슈베르트는 어릴 적부터 아주 아름다운 목소리를 가졌는데요. 그 덕에 11세에 궁정 신학원 슈타트콘빅트Stadtkonvikt의 장학생으로 선발됩니다. 덕분에 합창단에서 활동하고 음악 또한 배울 수 있었지요. 게다가 학창시절에 오스트리아의 궁정악장 안토니오 살리에리Antonio Salieri를 만나 음악 기초교육 또한 받았다고 전해집니다.

그가 13세가 되던 해, 그의 고왔던 목소리에도 변성기가 찾아옵니다. 그래서 슈베르트는 합창단을 나와야 했지요. 이후 아버지의 바람대로, 그가 교장으로 있던 초등학교에 취직하여 아이들에게 음악을 가르치는 보조 교사로 일하게 됩니다. 그는 이 시기에 장례미사곡을 작곡했고 본격적으로 가곡들을 탄생시키기 시작합니다. (가곡 「마왕」, 「실을 잣는 그레트헨」 등)

슈베르트가 작곡가로 이름을 알리고 유명해진 데에는, 그의 재능을 알아봐 주고 그의 음악을 좋아해 주었던 친구들의 덕이 컸는데요. 이 친구들이 바로 슈베르트의 음악을 사랑하는 모임, '슈베르티아데shubertiade'입니다.

이 모임에는 귀족, 성악가, 시인, 철학가, 화가 등 다양한 직업을 가진 사람들이 모여 있었습니다. 이들은 친구의 집에 모여 슈베르트가 작곡한 곡을 감상하며 그의 음악 안에서 우정을 쌓았지요.

슈베르트는 음악 교사직을 그만둔 이후, 본격적으로 작곡을 시작하였습니다. 그는 31세의 삶을 사는 동안 무려 600여 곡이 넘는 가곡을 발표했는데요. 이렇게 활발한 활동을 하던 그는 결국 병에 걸려(매독으로 추정) 힘들게 앓다가, 친구들의 품에서 세상과 이별하게 됩니다. 그리고 유언대로 자신이 늘 존경해왔던 베토벤의 묘소 바로 옆에 나란히 잠들게 되었지요.

여담이지만, 슈베르트는 키 152cm의 짧은 다리에, 그다지 잘 생기지 않은 외모를 가졌었다고 하는데요. 초상화 속 그의 얼굴은 그리 못난 편이 아닙니다. 아름답고 감미로웠던 그의 곡들 덕에 그의 외모를 실제보다 준수하게 그렸기 때문이라고 하네요.

슈베르트의 작품

600여 곡이라는 놀라운 작품 수뿐만 아니라, 가곡이라는 장르를 최고 예술품으로 끌어올렸던 덕에 가곡의 왕이라 불리는 슈베르트. 그렇다면 가곡이란 장르는 과연 무엇일까요?

가곡은 시와 음악이 만난 장르입니다. 다시 말해, 시와 같은 문학작품에 멜로디를 붙여 성악가가 피아노 반주와 함께 부르는 곡을 말하지요. 이번에는 슈베르트의 대표 가곡 중 「마왕」과 「겨울 나그네」를 소개하고자 합니다.

「마왕」

첫 번째로 만나 볼 작품은, 한 드라마의 배경음악으로도 사용되었던 작품인데요. 자식을 최고의 우상으로 만들고자 했던 부모의 그릇된 욕망을 그린 드라마 〈스카이 캐슬〉의 배경음악으로 사용되어 드라마의 분위기를 더욱 고조시켰던 작품, 가곡 「마왕」입니다.

이 작품은 슈베르트가 18세에 작곡한 곡으로 작품번호 1번에 해당합니다. 독일의 작가 괴테Göethe가 쓴 서사시에 멜로디를 붙인 것이지요. (슈베르트는 독일의 문학가 괴테의 작품을 특히 좋아해서 괴테의 시에 영감을 받아 작곡한 가곡이 무려 70여 곡이나 된다.) 「마왕」은 아파서 죽어가는 아이를 어떻게든 살리려 하는 아버지의 모습을 그린 작품인데요. 마왕의 속삭임이 들린다며 공포에 떠는 아이와 그 아이를 안은 채 말을 타고 달리는 아버지, 아이의 영혼을 빼앗아 가려는 마왕 그리고 해설자까지 모두 4명의 캐릭터가 등장하는 극적인 작품입니다. 그러니까 성악가 1명이 4명의 캐릭터를 노래로 표현하는 것인데요. 노래의 가사를 한 번 살펴볼까요?

"진정해라, 아들아. 걱정말거라." - 아버지
"만약 네가 나에게 오기 싫다면 억지로 너를 데려가겠다."
- 마왕
"아버지, 절 꼭 안아주세요. 마왕이 제 팔을 잡고 저를 끌고
가요." - 아이
"아비는 공포에 질려 급하게 말을 달렸네. 신음하는 아이를
팔에 안고서 두려움에 떨면서 집에 도착하였더니 아들은
품속에서 죽어있었다네." - 해설자

    이 곡은 긴장감을 고조시키기 위해 말발굽 소리를 표현하는
피아노 연주로 시작됩니다. 이처럼 슈베르트의 가곡은 성악가의 노
래뿐만 아니라, 피아노 또한 매우 중요한 역할을 하고 있지요.
    아름다운 시로 된 가사, 성악가의 노래 그리고 피아노 연주
까지. 세 박자가 딱 들어맞는 예술가곡을 탄생시킨 슈베르트. 이후
슈만과 브람스 등의 작곡가가 만든 가곡들 또한 슈베르트의 영향을
많이 받았답니다.

「겨울 나그네」
슈베르트가 세상을 떠나기 1년 전, 30세가 되던 해에 작곡한

가곡 「겨울 나그네」입니다. 이 작품은 그가 병상에 누워 지내던 어느 날, 친구들을 불러 들려주었던 곡이지요. 그는 이 곡을 불러 주며 "나는 지금까지 작곡한 어떤 곡들보다 이 노래를 사랑합니다. 사람들도 틀림없이 이 가곡집을 좋아하게 될 것입니다"라는 말을 남겼다고 합니다.

이 곡은 독일의 시인 빌헬름 뮐러Wilhelm Müller의 시에 곡을 붙인 24개의 연가곡인데요. 다가온 죽음을 예감이라도 한 듯 고독과 슬픔이 느껴지는 작품입니다. 이 곡을 작곡할 당시 슈베르트가 느꼈던 외로움과 고독, 가난 그리고 질병으로 인한 모든 아픔이 음악 속에 고스란히 담겨있지요.

겨울 나그네의 내용은 한 청년이 매우 추운 겨울에 연인의 집 앞에서 이별을 고하는 것인데요. 이별을 고하고 눈과 얼음으로 가득한 추운 들판을 헤매는 방랑의 길을 고스란히 담고 있습니다. 슬픔과 고독 속에서 추억을 회상하는 24개의 장면은 음악의 아름다움과 내면의 깊음을 온전히 느낄 수 있게 해준답니다.

슈베르트의 일기장에 이런 글귀가 있습니다. '내 음악은 많은 사람을 행복하게 할 것이다.' 이 글귀처럼 그의 음악은 형식에 얽매이지 않고 아름다운 멜로디와 편안한 선율을 특징으로 하고 있지요. 그의 바람처럼 슈베르트의 음악은 오랜 세월이 지난 오늘날까지도 기쁨과 행복 그리고 위로가 되어주고 있답니다.

＊**Schubert**

♪ 가곡「마왕」

♪ 가곡「세레나데」

♪ 교향곡 제8번 B단조

♪ 즉흥곡 op.90-2

♪ 현악 4중주 14번 D단조 D.810「죽음과 소녀」

클린이를 위한 감상 tip

연주한 곡은 행복 전도사 슈베르트의 가곡「행복」입니다. 선율이 아침 햇살처럼 기분 좋고 상쾌하네요. 조금 울적해질 때 이 곡을 듣는다면 금방 기분이 좋아질 수 있을 것 같습니다. 여러분 모두 슈베르트의 음악을 듣고 오늘도 행복하시길 바랍니다.

천재인가 악마인가?

파가니니

Niccolo Paganini, 1782-1840

바이올린을 전공하는 연주자라면 반드시 연주해야 하는 작품이 있습니다. 음악 중고등학교나 음악대학을 가기 위해 입시를 치를 때와 경연에 나갔을 때 늘 지정곡으로 나오는 작품이지요. 바로 「24개의 카프리스」라는 곡인데요. 직접 바이올린을 연주했던 이 작품의 작곡가는 바로 니콜로 파가니니입니다. 바이올린 연주자에게 평생의 숙제를 안겨주고 떠난 최고의 테크니션, 파가니니에 대해 알아봅시다.

파가니니의 일생

19세기에 이탈리아 제노바에서 태어난 파가니니는 7세에 그의 선생님을 능가하는 바이올린 실력을 보이며 음악에 두각을 나타내었습니다. 아들의 재능을 알게 된 아버지는 파가니니에게 하루 10시간씩의 연습을 시켰지요. 그를 모차르트와 같은 천재 음악가로 만들고자 한 것입니다.

파가니니가 13세가 되던 해, 그는 큰 공연장에서 연주를 마치고 엄청난 호응을 얻습니다. 게다가 어린 나이임에도 바이올린 연주만으로 큰돈을 벌기도 했다는데요. 이처럼 어려서부터 많은 사람의 동경을 받고 큰 인기를 얻었던 탓에, 그의 콧대는 하루가 멀게 높아졌습니다. 더군다나 어릴 적부터 큰돈을 벌었던 파가니니는 경제관념이 전혀 없었지요. 그는 연주로 벌어들인 돈을 전혀 모으지 않고 흥청망청 써댔습니다. 나중에는 결국 빚까지 지게 되어 자신이 연주하던 바이올린을 팔아버리는 지경까지 이르렀답니다. 악기가 없는 연주자라니…. 참 아이러니하네요.

다행히도 얼마 지나지 않아, 파가니니의 연주를 사랑했던 한 후원자가 나타납니다. 그는 파가니니에게 바이올린의 명기 중 하나인 과르네리Guarneri(17세기 이탈리아 바이올린 제작자)가 만든 바이올린을 선물했지요. 파가니니 외에 다른 연주자가 이 바이올린을 사용하지 않는 조건이었다고 합니다.

이 바이올린은 현재까지도 이탈리아의 제노바 시청에서 보관하고 있는데요. 계속해서 꾸준하게 관리를 해왔던 덕에, 여전히 좋은 소리가 나도록 유지되고 있습니다.

이후 파가니니는 20년 동안 이탈리아 전 지역과 독일, 영국, 폴란드, 파리에 거쳐 바이올린 연주자로서의 무대를 넓혀갔습니다. 유럽사람들은 파가니니의 초절정 기교와 천재적인 재능에 넋이 나간 채 환호했다고 하는데요. 당시 그의 인기는 하늘을 찌를 정도였습니다. '파가니니의 스타일'이라는 패션이 유행하여 많은 이들이 그가 입는 옷, 구두, 모자 등 모든 것을 따라 할 정도였거든요. 그는 단지 음악가가 아닌 당대의 아이콘이었다고 볼 수 있지요. 오늘날의 아이돌이나 셀럽과 마찬가지가 아니었을까요?

파가니니의 바이올린 연주는 동시대에 함께 활동했던 작곡가 리스트, 쇼팽, 브람스, 라흐마니노프, 슈베르트에게도 엄청난 영향을 주었습니다. 피아노 연주로 유럽인들의 마음을 빼앗았던 리스트Liszt가 '나는 죽었다 깨어나도 파가니니와 같은 연주력을 가질 수 없다. 하지만 그가 바이올린을 한다면, 나는 피아노에서 파가니니가 되겠다'라는 다짐을 하며 엄청난 테크닉을 가진 피아니스트가 되기도 했으니 말이지요. 게다가 러시아의 작곡가이자 피아니스트인 라흐마니노프Rachmaninoff는 파가니니 작품의 선율을 사용하여 멋진 작품을 만들기도 했답니다. (파가니니 주제에 의한 광시곡 작품

번호43 등)

　　파가니니는 왼손 피치카토(손가락으로 줄을 마구 뜯는 주법),
하모닉스(줄에 손가락을 살짝 얹어서 내는 주법), 더블 스탑(두 개 이상
의 음을 동시에 내는 주법) 등의 주법을 사용하여 연주하였는데요. 그
수준이 상상을 초월할 정도였다고 합니다. 한 번은 연주 도중 줄이
하나씩 끊어지는 바람에, 바이올린의 현이 4개 중 한 개만 남았던
적도 있었는데요. 그는 그 한 줄의 현만을 가지고도 완벽하게 연주
를 마쳤다는 일화가 있기도 합니다. 그의 뛰어난 연주 탓에 프랑스
의 황제였던 나폴레옹 1세의 여동생이 기절하기도 했다고 하니, 도
대체 어느 정도의 실력을 갖추었던 것인지 가늠되시나요?

악마가 깃든 천재 작곡가?

파가니니는 한 번 공연할 때마다 당시의 금액으로 2천 프랑의 보수
를 받았습니다. 이 금액은 현재의 가치로 1억에 달하는 금액이지요.
하지만 그는 이상하게도 자신의 음악이 영원히 기록될 수 있는 악
보 출판에는 아주 소극적이었다고 합니다. 사업상 비밀이기라도 한
것인지, 자신의 연주법이 공개되는 것을 무척 꺼렸고 제자 또한 한
명밖에 두지 않았지요.

　　이와 같은 이유와 상상을 초월하는 연주력 탓에 파가니니를

향한 이상한 소문이 떠돌기 시작합니다. 바로, 그가 악마와 계약을 했다는 것이이었지요. 그렇다면 과연 정말로 파가니니에게 악마가 깃들었던 것일까요?

이 소문은 파가니니가 세상을 떠나기 직전 병상에 누워있을 때 더욱 사실처럼 여겨지기 시작합니다. 병상에 있던 파가니니가 약을 먹고 취한 채로 "악마가 내 악기와 활에 있다"라는 헛소리를 한 것 때문이었지요. 이것은 그가 사망한 후에 더욱 일파만파 되었는데요. 그 이유는 이랬습니다.

당시 유럽은 가톨릭 교회법으로 결혼과 장례식이 이루어졌습니다. 사망 후에 개인소유의 땅에 묻힌다면 교회의 허가를 받을 필요가 없지만, 공동묘지에 안치하려면 교회의 허가가 필요했던 것이지요. 큰돈을 벌었던 파가니니는 개인의 땅을 많이 소유하고 있었습니다. 그러나 그의 아들(한 명의 아들을 두었는데, 연주 때도 꼭 같이 다닐 정도로 아들 사랑이 극진했다고 함)은 아버지가 교회의 묘지에 잠들어 천국으로 가기를 바랐지요. 바로 이때 교회에서 파가니니의 안치를 거부한 탓에 그의 악마설이 더욱 불거지게 된 것이었습니다.

그러나 사실 교회가 파가니니의 안치를 거부한 이유는 따로 있었습니다. 바로 금전적인 문제였지요. 파가니니의 생전에 교회의 주교(갈바니 주교)가 그에게 큰 액수의 돈을 기부해 달라고 요청했는데요. 파가니니는 여러 가지 이유를 들며 그것을 거절했습니다. 이러한 이유로 교회에서는 임종 직전 파가니니의 고해성사(가톨릭

교회에서 임종 전에 보는 성사) 또한 거절했다고 합니다.

교회의 반대로 다른 곳에 안치되었던 파가니니는 사망 후 무려 46년이 지나서야 이탈리아 제노바의 파르마 공동묘지로 이장될 수 있었답니다. 현재 파가니니의 묘비에는 이런 문구가 쓰여 있지요.

"제노바 태생의 천재 음악가. 니콜로 파가니니 여기에 영면 하다."

파가니니의 작품

파가니니는 엄청난 연습 벌레였습니다. 하루 24시간 중 7시간은 기본으로 바이올린을 연습했지요. 이것은 바이올린 연주자인 저를 무척이나 반성하게 하는 부분이기도 합니다.

그가 일생을 바쳐 작곡했던 모든 곡은 전부 바이올린만을 위한 작품이었습니다. 대표작품으로는 6개의 바이올린 협주곡(2번-라 캄파넬라), 「24개의 카프리스」, 「베니스의 카니발」, 바이올린 소나타 6번 등이 있지요.

그의 작품을 살펴보면, 종교적인 의미를 담은 제목의 작품을 쉽게 찾아볼 수 있는데요. 이런 점을 보면 그에게 떠돌던 '악마가 깃든 작곡가'라는 소문이 사실이 아니었을 것이라는 생각이 듭니다. 그렇다면 어떤 곡들이 있는지 한번 살펴보겠습니다.

　　　－「주께서 왕을 구하셨도다」
　　　－「성 패트릭의 날」
　　　－「성 베르나르 산의 승원」
　　　－「모세의 아리아에 의한 변주곡」: 이탈리아의 오페라 작곡
　　　　　가인 로시니의 성경 오페라「이집트의 모세」에서 선율을 따
　　　　　온 작품으로 로시니의 모세 주제에 의한 곡이다. 바이올린
　　　　　G선만으로 연주한 적이 있다.

　　파가니니 이야기를 쓰며 들었던 개인적인 생각은, 노력하는
사람만이 원하는 것을 얻을 수 있다는 것입니다. 그의 피나는 연습
시간이 바이올린 연주의 대가 파가니니를 만들었다고 생각합니다.

┌─ **Classic For You** ─────────────────────────────┐

　＊Paganini
　♪「24개의 카프리스」중 24번
　♪「베니스의 카니발」
　♪「로시니 오페라 모세의 아리아에 의한 변주곡」
　♪ 바이올린과 기타를 위한「칸타빌레」
　♪ 바이올린 협주곡 1번 op.6

└──┘

사명을 다한 작곡가

바흐

Johann Sebastian Bach, 1685–1750

작곡가 바하인가, 바흐인가? 어떻게 발음하는 것이 옳은지 궁금해하는 사람이 많습니다. 정답을 먼저 이야기하자면, '바흐'라고 발음하는 것이 옳답니다. 1986년, 우리나라의 표준어 표기법이 '바하'에서 '바흐'로 바뀌었지요. 그의 이름 'bach'를 독일어로 발음하면, 'ch' 부분에서 목젖이 울리는데요. 이때 발음이 '흐'로 들릴 수도, '하'로 들릴 수도 있어 생긴 해프닝이랍니다.

음악의 아버지 요한 세바스찬 바흐는 클래식을 잘 모르는 사람들도 대부분 알고 있는 작곡가입니다. 독일어로 바흐bach는 '시냇물'이라는 뜻인데요. 바흐는 종종 자신의 이름을 두고 시냇물이라는 농담을 하기도 했다고 합니다. 시냇물이 모여 강물이 되고, 바다가 된 것처럼 바흐의 음악을 기반으로 하여 오늘날의 음악이 이루어졌으니 그의 이름이 더욱 예사롭지 않게 느껴지는 것 같습니다.

바흐의 가문

바흐의 집안은 대대로 내려오는 독일의 음악가 가문이었습니다. 비록 많은 돈을 벌지는 못했으나, 음악과 함께하여 행복한 가족이었지요. 이러한 음악 가문에서 음악사에 영원히 기록될 바흐가 탄생한 것입니다. 음악 가문에서 태어난 그는 아버지로 부터 깊은 신앙심과 음악을 교육받으며 성장할 수 있었습니다.

바흐에게는 두 명의 아내가 있었습니다. 바로 마리아 바바라 바흐Maria Barbara Bach와 소프라노 가수 안나 막달레나 바흐Anna Magdalena Bach이지요.

마리아가 병으로 사망한 후, 바흐는 막달레나와 재혼을 하게 됩니다. 막달레나는 바흐가 작곡한 악보를 직접 필사해 주며 지극정성으로 그를 내조했지요. 바흐도 막달레나의 정성에 감동하여 「안나 막달레나를 위한 음악수첩」이라는 곡을 선물하기도 했답니다.

바흐는 첫째 부인과 7명, 둘째 부인과는 무려 13명의 자녀를 슬하에 두었습니다. 그러나 그가 살던 시대는 질병으로 인한 사망이 빈번한 시기였고, 그 탓에 사람들의 평균수명이 고작 22세밖에 되지 않았지요. 바흐의 자녀 또한 20명 중 절반인 10명만이 오랜 삶을 살 수 있었다고 합니다.

그러던 중에도 그의 자녀는 가문을 이어 음악가로 활동하기도 했는데요. 바로 두 아들 칼 필립 에마누엘 바흐Carl Philipp Emanuel Bach와 요한 크리스티안 바흐Johann Christian Bach가 그렇습니다. 게다가 이들의 자식들 또한 계속해서 가문을 이어나갔지요. 바흐의 음악 가문은 클래식 작곡가 가문 중 유일하게 현재까지도 이어지고 있는 가문입니다.

　제가 미국으로 유학을 갔을 때 일인데요. 학교의 피아노과 교수 중, 성함이 팀 바흐Tim Bach인 교수님이 계셨습니다. 신기한 마음에 혹시 작곡가 바흐의 가족인지 여쭈어보았더니, 자신의 조상 중에 바흐가 있다고 이야기했지요. 무척이나 놀랍고 신기했던 기억이 납니다. 이처럼 바흐의 음악 가문은 유럽과 미국에서 아직도 여전히 이어지고 있답니다.

바흐의 음악 인생

음악가 가문의 영향을 받은 바흐는 타고난 성실함으로 열심히 음악 공부를 했습니다. 그리고 바이마르Weimar의 궁정 음악사로 일하며, 10여 년간 그곳에 머물렀지요. 그는 이때 대표적인 오르간곡들을 많이 작곡하였습니다.

　바흐는 특히 오르간 연주에 재능이 있었습니다. 오르간을 무척이나 열심히 공부하기도 했지요. 그는 독일과 이탈리아, 프랑스의 유명한 오르간 연주자들의 음악적 스타일을 이해하고, 자신만의 개성을 살려 독창적인 작품들을 남겼습니다. 힘 있고 자신감 넘치는 그의 오르간 연주 또한 작품 속에 아주 잘 나타나 있지요. 대표적인 그의 오르간 작품으로는 「프렐루드와 푸가」, 「토카타 D단조」, 「오르간 소곡집」 등이 있답니다.

바흐는 쾨텐의 영주 레오폴드로부터 궁정의 책임 음악가로 일할 것을 제안받게 됩니다. 월급도 아주 높게 제시받았지요. 바흐에게는 자녀가 많았으니, 그는 아이들을 양육하고 교육하기 위한 경제적 문제를 생각하지 않을 수 없었습니다. 그래서 레오폴드의 제안을 받아들이고 그곳에서 음악가로 일을 시작하게 되었지요.

레오폴드 영주는 음악을 굉장히 좋아하며 악기 또한 아주 잘 다루었던 사람입니다. 그 때문에 자신의 궁정악단에 큰 관심을 두고 있었지요. 그는 바흐뿐만 아니라, 악단의 모든 연주자가 좋은 조건에서 음악 활동을 할 수 있도록 힘썼습니다. 이와 같은 최고의 음악적 환경에서, 바흐는 악기를 위한 최고의 작품들을 탄생시킵니다. (첼로 무반주 조곡 1번 중 프렐루드가 포함된 무반주 첼로를 위한 6개의 조곡, 무반주 바이올린을 위한 3개의 파르티타와 3개의 소나타, 관현악 모음곡, 브란덴부르크 협주곡 등)

그러나 바흐는 성공적인 음악적 삶을 이어가던 중에도 여러 가지의 개인적 아픔을 겪게 되는데요. 바로 사랑하는 아들과 부인,

그리고 두 명의 형들이 세상을 떠나게 된 것입니다. 이러한 이유로 바흐가 6년 동안 쾨텐에서 머물며 작곡한 작품들 속에는 사랑하는 가족을 잃은 그의 슬픔과 고통이 고스란히 담겨있습니다.

바흐의 삶을 보면 가끔 내게 주어진 환경이 힘들어질 때, 내 삶을 원망하며 포기하려 했던 모습을 반성하게 되는 것 같습니다.

줄곧 쾨텐에서 머물던 바흐는 결국 이사를 결심하게 됩니다. 그 이유로는 여러 가지가 있는데요. 첫 번째는 음악에 열정을 가지고 있었던 레오폴드 영주가 재혼하게 된 것입니다. 그가 새로 맞이한 부인은 음악에 전혀 관심이 없었습니다. 그러니 레오폴드 또한 점점 음악에 소홀해질 수밖에 없었지요.

두 번째는 사랑하는 가족들의 죽음으로 더는 쾨텐에 머물고 싶지 않았기 때문입니다. 그리고 무엇보다 가장 큰 이유는 바로 자녀 때문이었지요. 그는 아이들이 더 큰 도시에서 대학공부를 하길 바랐습니다. 오늘날의 부모님들과 똑같은 마음이지요? 바흐는 귀족 신분이 아니었으니, 아이들만이라도 열심히 공부를 시켜 능력 있는 사람으로 만들고 싶었던 것입니다. 그는 자식들이 자신만의 능력으로 사회에서 당당히 살아가기를 바라며, 명문 대학이 있는 라이프치히로 떠납니다. 이곳에는 1409년에 설립한 명문 라이프치히 대학이 있었는데요. 독일에서 두 번째로 오래된 대학이었다고 합니다. 바흐의 두 아들은 그의 소망대로 라이프치히 대학에서 공부하게 되었습니다.

라이프치히에는 유명한 루터파 교회들(성토마스 성당, 베드로 교회 등)이 자리 잡고 있었습니다. 독실한 루터파 신자였던 바흐는 고민 없이 성토마스 성당의 음악 감독으로 취직하였지요. 그리고 27년 동안 독일을 떠나지 않고, 생을 마감할 때까지 이곳에서 일하게 됩니다.

바흐는 라이프치히 성토마스 성당에 취직하여 많은 일을 하였습니다. 성토마스 성당의 책임 음악가로서 말이지요. 그는 매주 미사를 위한 미사곡과 장례식과 결혼식 미사를 위한 곡들을 작곡하였습니다. 또한, 오르간 연주자로서의 일뿐만 아니라, 성토마스 성당의 부속 여학교에서 학생들을 가르치는 교육자 일도 도맡았습니다. 그는 매일 쉴 틈 없이 바쁘게 일했지만, 그것이 음악가의 삶이자 자신의 소명이라 생각하고 열심히 삶을 살아갔답니다.

그의 작품들에는 자필서명으로 'soli deo gloria'오직 주님께 영광을 이라는 문구가 쓰여 있습니다. 독실한 신앙인이었던 바흐는 음악을 통해 주를 만나고, 음악을 통해 주에게 감사드린 작곡가였던 것이지요.

바흐는 그가 세상을 떠난 지 80여 년이 지난 후에야 독일의 작곡가 멘델스존에 의해 재조명될 수 있었습니다. 멘델스존은 바흐의 열성 팬으로, 바흐의 음악들을 찾아 복원하려 여러 노력을 기울였습니다. 그리고 멘델스존이 지휘한 바흐의 최고 걸작품, 「마태 수난곡」(예수 그리스도의 수난 장면으로 되어있는 일종의 오라토리오)으로 인해 바흐의 음악이 다시 한번 세상에 부활하였답니다.

마태 수난곡

사순절의 성금요일을 위해 1727년에 수난곡을 작곡하였다. 하느님께 바치는 그의 최고의 작품이다.

마태 수난곡은 마태복음 26장과 27장의 말씀을 가사로 만들었고, 총 68곡으로 연주 시간은 무려 3시간에 달한다. 예수님이 로마군대에 잡혀가는 과정부터 빌라도의 재판, 그리고 십자가에 매달리는 모습까지 모두 생생하게 표현되어 있다. 연주 시간이 3시간이 넘는 곡이다 보니, 쉽게 연주하기도 감상하기도 힘든 곡이다.

사실 바흐는 당시 뛰어나게 유명한 음악가는 아니었다고 합니다. 같은 해에 독일에서 태어난 동갑내기 작곡가 헨델과는 비교도 할 수 없을 정도로 인지도가 낮았지요. 성토마스 성당에 음악 감독으로 지원하여 채용시험을 치를 때에도 10번째 정도의 순위였다고 합니다. 그러나 앞순위에 있던 9명의 작곡가들이 개인 사정으로 올 수 없게 되자, 어쩔 수 없이 바흐가 뽑히게 된 것이지요. 우리가 음악의 아버지라고 존경하는 작곡가가 그 당시에는 보통의 음악가에 지나지 않았다니, 재미난 일입니다.

우리 음악사에는 많은 음악가가 활동했습니다. 그러나 현재 우리가 기억하는 사람들은 그리 많지 않지요. 오늘날 기억되지 못하는 음악가들도 각자의 자리에서 최선을 다했을 것이고 그 모든 것이 쌓여 오늘날의 음악이 되었을 것입니다. 각자 자신의 위치에서 묵묵히 정성을 다해 사는 삶이 무엇보다 중요하다는 생각을 다시금 하게 됩니다.

독일의 라이프치히에 가면 아직도 바흐의 숨결을 생생히 느낄 수 있습니다. 바흐가 세상을 떠날 때까지 일했던 성토마스 성당 앞에는 여전히 바흐의 동상이 세워져 있기 때문이지요. 또한, 성당 내부에는 바흐의 묘소가 있고, 매년 6월이 되면 바흐의 작품들로 페스티벌이 열리기도 한답니다. 오늘날에도 우리는 이렇게 바흐를 기리며 그를 기억하고 있습니다.

클린이를 위한 감상 tip

 바흐의 칸타타 중 「주는 인간의 소망 기쁨」을 연주했는데요. 바흐는 독실한 신앙심을 바탕으로 하며 음악을 작곡했답니다. 우리가 가지고 있는 슬픔과 기쁨, 여러 가지 갈등과 평화 등을 주에 대한 신앙고백으로 참된 사랑과 평안을 얻는다는 메시지를 담고 있는 작품입니다. 음악 안에서 희망을 느껴보시길 바랍니다.

피아노밖에 난 몰라

쇼팽

Frédéric François Chopin, 1810–1849

평생 피아노만을 사랑한 작곡가가 있습니다. 가을이 되면 저는 이 작곡가의 작품을 찾아 듣곤 하는데요. 그는 감성적이고 서정적인 작품들로 유명하여 피아노 시인이라고 불리기도 한답니다. 피아노만을 위해 태어난 작곡가, 폴란드에서 태어난 프레데리크 프랑수아 쇼팽입니다.

그의 조국 폴란드에서는 5년마다 그를 기념하기 위해 국제 피아노 콩쿠르를 개최하는데요. 지난 2015년에는 우리나라의 피아니스트인 조성진 씨가 참가하여 1등을 거두면서 전 세계인들을 깜짝 놀라게 하기도 했지요.

쇼팽의 일생

폴란드에서 태어난 쇼팽은 피아노 소리만 들어도 깜짝 놀라 울음을 터뜨리던 아이였다고 합니다. 그는 어려서부터 몸이 매우 약했던 탓에, 병치레가 잦았을뿐더러 성인이 되어서도 늘 건강이 좋지 않아 힘들어했지요. 그러나 음악에 대해서는 그 누구보다 뛰어난 천재성을 가진 사람이었습니다.

피아니스트였던 어머니에게서 재능을 물려받은 쇼팽은 8세부터 정식으로 피아노 교육을 받게 됩니다. 하지만 그의 재능이 너무 뛰어났던 것일까요? 피아노를 가르치던 교사 보이치에흐 지브니Wojciech Zywny는 쇼팽에게는 본인이 더 가르칠 것이 없다며 스스로 그만두어 버립니다. 당시 폴란드에서는 "천재 음악가는 독일이나 오스트리아에서만 태어나는 줄 알았는데, 우리 폴란드에도 천재가 태어났다"라며 쇼팽을 자랑스러워했지요.

15세가 된 쇼팽은 바르샤바에 있는 음악원에 입학하였습니다. 그리고 본격적으로 음악교육을 받게 되지요. 그는 18세에 학교에서 첫사랑을 만나게 되는데요. 그녀를 위해 작품을 써 선물하기도 했답니다. 피아노 협주곡 1번과 2번Chopin piano concerto no.1 op.11, no.2 op.21이 바로 그것이지요.

저는 '피아노 협주곡 1번'을 좋아하는데요. 이 곡을 듣고 있으면, 잔잔한 호수 앞의 벤치로 공간을 이동한 것 같은 느낌이 듭니다. 그리고 유유히 흐르는 호수를 바라보다, 하늘을 한 번 바라보고 눈을 감기도 하며 온전히 나만의 생각과 감정에 몰입하게 되는 기분이 들기도 하지요.

쇼팽이 첫사랑을 위해 작곡한 작품들은 유럽 각지에 그의 이름을 알리는 데에 큰 역할을 했습니다. 빈과 파리에서는 쇼팽의 피아노 연주에 열광하기도 했지요.

그는 연주 여행을 하는 동안 유럽의 여러 작곡가와 교류하게 되는데요. 바로 이때 작곡가 베토벤의 제자인 카를 체르니, 슈만, 리스트, 멘델스존을 만나게 되었습니다.

당시 유럽은 프랑스 대혁명(1789-1794)의 영향으로 자유와 권리를 추구하던 분위기였습니다. 쇼팽은 빈의 연주회에서 연주하고 있을 때 조국인 폴란드의 바르샤바에서 러시아에 대항하여 혁명을 일으켰다는 소식을 듣게 되지요.

쇼팽의 고향 폴란드는 1795년에 프로이센, 러시아, 오스트리아에 의해 분할된 후 1918년이 되어서야 독립한 나라입니다. 그리고 이후 2차 세계대전으로 다시 서부지역은 독일에, 동부지역은 러시아에 분할 점령되었고 1945년에 해방되었는데요. 그러니까 쇼팽이 빈에 있을 당시의 폴란드는 프로이센과 러시아, 오스트리아에 의해 분할되어 있던 상황이었지요.

이후 그가 파리에서 연주하고 있을 때 조국으로부터 혁명이 실패로 끝나 결국 바르샤바가 함락되었다는 슬픈 소식을 듣게 됩니다. 심지어는 쇼팽이 살던 집이 사라지고 그가 쓰던 피아노조차도 산산조각이 났다는 이야기를 전해 듣지요. 이 엄청난 소식을 들은 쇼팽은 연주회를 모두 취소하고 조국을 위해 싸우러 가겠다고 다짐합니다. 하지만 그의 아버지는 '애국심을 가지고 음악가로 무대에 서는 것도 애국하는 것'이라며 쇼팽을 설득했지요.

　　쇼팽은 바르샤바를 떠나 빈으로 연주하러 갈 때, 다시는 조국에 돌아오지 못할 것 같다는 회고를 하기도 했는데요. 그때 가족들이 떠나는 그에게 폴란드의 흙을 잔에 담아 주기도 했다고 합니다. 이후 쇼팽은 파리에서 승승장구하며 음악가로 유명해졌으나, 늘 슬프고 고독했습니다. 그의 가슴 한구석에 항상 자리 잡고 있는 조국 폴란드와 가족들을 걱정하는 마음 때문이 아니었을까요?

　　이와 같은 이유로 쇼팽의 음악에는 폴란드의 정신이 깃든 곡이 많습니다. 「마주르카mazurka」와 「폴카polka」 등 폴란드 춤곡을 제목으로 하는 작품들이 바로 그것이지요. 또한, 폴란드인의 정서를 담은 군대 풍의 춤곡 「폴로네이즈Polonaise」를 작곡하기도 하였답니다.

　　폴란드 민족이 배출한 최초의 위대한 음악가이자 정신적 영웅인 쇼팽. 그의 이름은 폴란드의 바르샤바 쇼팽 공항에 붙여져, 폴란드의 얼굴이 되었답니다. 폴란드가 가진 작곡가 쇼팽에 대한 자부심이 어느 정도인지 알 수 있겠지요?

쇼팽의 연인 조르주 상드

당시 클래식 작곡가들은 지금의 연예인 못지않게 큰 인기를 끌었습니다. 쇼팽 또한 그렇지요. 그가 작곡한 곡을 연주하기 위해 피아노 건반에 손가락을 올려놓는 순간 여성들은 그에게 홀딱 반해버렸고, 뭇 여성들은 밤잠을 설치기도 했다고 합니다. 그러니 쇼팽 주변에는 그를 흠모하는 여인들이 많았을 테지요. 그러나 그중에 가장 회자가 되는 쇼팽의 여인이 있습니다. 바로 조르주 상드George Sand입니다.

프랑스에서 태어난 상드는 무척 개성 넘치는 여인이었습니다. 당시 여성들은 레이스가 가득 달린 화려한 긴 드레스와 장신구로 멋을 내었는데요. 상드는 달랐습니다. 그녀는 바지에 재킷을 입은 채 남장을 하고 다녔지요. 남작과 결혼을 하였지만 이혼하였고, 책을 쓰는 여성 작가로서 예술가들의 모임인 살롱에 다니며 자유로운 사회생활을 한 여성이었습니다. 상드가 아는 사람만 몇천 명이었다고 하니, 얼마나 마당발이었는지 상상이 되나요?

그녀는 파리의 모임에서 쇼팽을 만나게 됩니다. 그리고는 감성적인 쇼팽의 연주에 반하고 야리야리한 외모에 한 번 더 반하지요. 게다가 어딘가 아픈 듯한 모습의 쇼팽에게 모성애를 느끼기도 했다고 합니다. 씩씩했던 상드는 쇼팽에게 적극적으로 대시하기 시작합니다.

사실 쇼팽은 당시의 남성 같은 외모를 가진 상드에게 큰 호감을 느끼지 못했다고 합니다. 그러나 그녀에게서 자신에게 없는 부분에 대한 매력을 느끼게 되고 점차 상드에게 의지하게 되었지요. 그리하여 두 사람은 10년 넘게 사랑으로 함께했답니다. 이때 쇼팽은 상드와의 사랑의 힘으로 많은 작품을 작곡하기도 하였습니다.

상드를 처음 만났을 때부터 폐병을 앓고 있었던 쇼팽은 1838년 급속도로 건강이 나빠지기 시작합니다. 그는 스페인의 마요르카 섬으로 요양을 가게 되는데요. 이때도 자신이 쓰던 피아노를 가져가, 연주와 작곡을 계속했다고 합니다.

비가 많이 오던 어느 날, 집을 비운 상드가 오길 기다리며 쇼팽이 작곡한 곡이 있는데요. 바로 「빗방울 전주곡Chopin Prelude no.15 op.28」입니다. 이 곡을 들으면 하늘에서 내리는 촉촉한 빗방울이 사랑의 애틋함으로 바뀌는 것 같은 느낌이 들지요.

힘들 때 늘 조력자가 되어주며 영원히 사랑할 줄만 알았던 조르주 상드와 쇼팽은 여러 가지 오해와 불화로 결국 헤어지게 됩니다. 그리고 2년 후 쇼팽은 영원히 눈을 감는데요. 그토록 사랑했던 상드는 쇼팽의 장례식 때도 참석하지 않았다고 합니다.

39세에 세상을 떠난 쇼팽. 그는 평소에 작곡가 모차르트를 좋아했습니다. 그래서 자신의 장례식에 모차르트의 레퀴엠을 연주해 달라고 했지요. 그의 유언대로 쇼팽의 장례식이 치러진 파리 성 마들렌 성당에서는 모차르트의 레퀴엠이 연주되었답니다. 그리고 3,000명의 사람이 그의 마지막 가는 길을 애도했지요.

파리 페르 라세스에 있는 그의 묘비에는 그토록 사랑했던 자신의 나라 폴란드의 흙이 뿌려졌습니다. 그가 폴란드를 떠날 때 잔에 담아온 흙이었지요. 그리고 쇼팽의 심장은 소원대로 그의 누나가 가져가 바르샤바 성 십자가 성당의 기념비 밑에 안치하였다고 합니다.

쇼팽의 작품들

쇼팽의 작품들은 피아노를 위한 곡들이 대부분입니다. 발라드, 소나타, 스케르초, 폴로네이즈, 즉흥곡, 피아노 협주곡 등 주옥같은 피아노 작품들이 있지요. 또한, 실내악 작품에는 첼로 소나타 op.65, 피아노 트리오 op.8이 있는데 모두 피아노 연주 비중이 더 크답니다.

평생 피아노곡만을 썼다고 해도 과언이 아닌 쇼팽! 피아노 하면 바로 생각나는 작곡가입니다. 사람들은 쇼팽을 피아노의 시인이라고 부르지요. 그는 피아노라는 악기를 가지고 자신의 감정과 생각을 음표를 사용하여 함축적인 시처럼 표현했습니다. 그의 작품을 들으면 마치 꿈을 꾸는 것 같기도 하고, 잔잔하게 밀려오는 파도처럼 몸속의 감정 세포들이 하나씩 깨어나는 것 같기도 하답니다.

클린이를 위한 감상 tip

쇼팽의 녹턴 no.20을 연주했습니다. 녹턴은 주로 '야상곡'이라고 부르는 피아노곡인데요. 서정적이면서 감미로운 멜로디의 작품으로 쇼팽의 정교함과 세련미가 느껴지는 작품입니다. 평생 피아노곡만 작곡했다고 해도 과언이 아닌 쇼팽. 이 작품을 감상하며 그가 왜 피아노의 시인이라고 불리는지 느껴보시길 바랍니다.

Classical music

오뚝이 작곡가

헨델

Georg Friedrich Händel, 1685-1759

독일에서 태어났지만, 영국의 작곡가가 된 남자가 있습니다. 성공한 음악가였던 그는 빚더미에 올라 파산을 하기도 했지요. 또 건강 악화 때문에 모든 것을 잃어버렸지만, 끝까지 포기하지 않는 오뚝이 정신으로 다시 재기에 성공하기도 했답니다. 그는 바로 영국을 대표하는 클래식 작곡가, 음악사 안에 영원히 기록될 게오르크 프리드리히 헨델입니다.

헨델의 음악 일생

1685년 독일의 작은 도시인 할레에서 태어난 헨델은 어릴 적부터 음악에 뛰어난 재능을 보였습니다. 그의 부모님은 헨델을 이탈리아, 영국, 프랑스 등에 음악 여행을 보내며 음악적 견문을 넓히게 했지요. 그러나 헨델의 아버지는 그가 전문 음악가가 되기를 바라지는 않았습니다. 헨델이 그저 음악을 즐기기만을 원했는데요. 헨델의 생각은 달랐습니다. 그는 할레 대성당의 오르간 연주자로 취직하여 본격적인 음악가의 길에 들어서게 됩니다.

어려서부터 꿈이 컸던 헨델은 자신의 고향 할레가 너무 작은 도시라고 생각했습니다. 그래서 그는 큰 도시인 함부르크로 떠나게 됩니다. 그 후 20세 초반의 나이에 이탈리아 유학길에 오르지요. 헨델은 이탈리아에서 공부하는 동안, 당시 유행했던 이탈리아의 오페라 작곡 스타일을 익힐 수 있었습니다. 그리고 그것을 자신만의 음악 세계로 흡수하였지요. 이와 같은 노력으로 그가 발표한 작품들은 점점 인기를 얻게 되었답니다.

헨델은 25세부터 하노버 궁정의 책임 음악가로 일하게 됩니다. 그리고 휴가 기간마다 영국으로 연주 여행을 떠났지요. 그는 독일에서만 머물지 않고 유럽의 여러 곳을 다니며 새로운 작곡 스타일을 익히고자 했던 것입니다. 그 경험을 바탕으로 오페라 「리날도 Rinaldo」(마법의 성에 갇힌 공주를 구하러 가는 동화적인 내용의 오페라)

를 작곡하여 영국에서 발표도 하게 된답니다. 게다가 이 곡은 엄청난 호응을 얻기도 했지요.

그렇다면 헨델이 좋아했던 영국은 당시 어떤 분위기의 나라였을까요? 17세기 영국 런던은 산업혁명이 일어나 돈이 모이는 곳이었습니다. 물질적인 풍요로움이 가득한 영국에서 헨델은 주식(영국이 식민지를 개척하면서 남해회사라는 주식회사 등장)을 사들여 돈을 벌기도 하였는데요. 자신의 꿈을 펼칠 무대는 영국이라고 생각했던 헨델은 하노버 궁정에서 주어진 휴가가 끝이 나도 그곳으로 돌아가지 않았습니다.

그가 이렇게 행동할 수 있었던 이유는 바로 당시 영국의 왕이었던 앤 여왕 덕분이었습니다. 독일이 아닌 영국에서 머물고자 했던 헨델. 앤 여왕이 그를 아주 좋아했던 덕에 헨델은 늘 기고만장할 수 있었다고 합니다. 그러나 헨델에게도 위기가 찾아옵니다. 자신을 예뻐하던 앤 여왕이 급사하게 되고 자녀가 없던 앤 여왕의 뒤를 이어 하노버의 군주가 새로운 왕이 된 것이지요. 그가 바로 조지 1세 왕입니다.

헨델은 큰일이 났습니다. 그는 영국에 계속 머물기 위해서 어떻게든 왕에게 잘 보여야 했지요. 그는 왕이 뱃놀이를 할 때 배 위에 연주자들을 태워, 물 위에서 연주할 수 있는 음악을 작곡합니다. 이것이 바로 수상음악Händel Water music suites no.1-3 HWV.348-350이랍니다. 조지 1세 왕은 이 음악을 아주 만족스러워했습니다. 그 덕에 헨델은 위기를 극복하게 되고, 본격적으로 영국에 정착할 수 있었지요.

영국에 살게 된 작곡가 헨델은 부자가 되고 싶었고, 자신 있던 이탈리아 오페라 작곡을 통해 돈을 벌고자 했습니다.

헨델은 왕실음악아카데미Royal Academy of Music라는 오페라 단을 만들어 오페라 작곡은 물론이고 극장까지 운영하는 음악 감독이 됩니다. 이 시기는 헨델 인생의 황금기였다고 할 수 있는데요. 많은 돈을 벌기도 했고 인기 또한 어마어마했기 때문이었지요.

그는 오페라 흥행을 위해 유명 가수들(당시 카스트라토들이 최고 인기였기에, 경쟁 오페라 회사에서는 서로 출연료를 높게 부르며 연주자들을 섭외했고, 카스트라토의 몸값은 마구 치솟음)에게 엄청난 출연료를 주어 그들을 무리하게 영입하였습니다. 그로 인해 극장 재정에 문제가 생기기 시작했지요.

이때 영국에서는 영어로 공연되는 대중오페라가 인기를 끌었습니다. 이 대중오페라는 이해도 되지 않는 이탈리아어 가사로 된 오페라에 싫증을 느끼는 영국인들에게 신선한 재미를 주었습니다. 오페라 속 선율도 영국에서 내려오는 전통적인 민요를 사용하여 더욱 알기 쉽게 만들었는데요. 덕분에 사람들은 이 대중오페라를 더욱 좋아하게 되었지요.

유행에 점점 멀어지는 헨델의 이탈리아 오페라 곡 탓에, 그의 오페라 극장은 크나큰 타격을 받게 됩니다. 또한, 오페라 공연의 잇따른 실패로 그는 결국 파산을 하고 어마어마한 빚을 지게 되었지요. 헨델은 그 고통을 견디다 못해 중풍으로 쓰러져 오른쪽 몸이 마비되어 반신불수가 되기도 했답니다.

다시 일어서다

헨델은 자신의 오페라 작품들이 잇달아 실패하는 것을 보며 대중오페라가 인기를 끄는 이유를 파악하게 됩니다. 그가 생각해 낸 이유는 바로 가사였습니다. 영어로 된 가사 덕분에 대중오페라가 관객들과 더욱 원활하게 소통할 수 있다는 것을 알게 되었지요. 그래서 그는 영어 가사로 된 오페라보다 제작 비용이 적게 드는 오라토리오*에 관심을 가집니다.

헨델은 성경에 나오는 초대 이스라엘의 왕 사울의 모습을 통해 세속의 헛된 욕망을 추구한 자신을 반성하는 마음으로 작곡했습니다. 이때 탄생한 것이 바로 오라토리오 「사울」이지요. 그는 이 작

---

* 오라토리오(Oratorio) : 이탈리아어로 기도소라는 뜻을 가졌다. 17-18세기 유행했던 성경의 내용을 바탕으로 한 극음악으로, 오페라와 같은 극음악이지만 연기, 의상, 무대장치가 없이 합창에 비중이 크다.

품을 발표한 후 조금씩 빚을 갚아 나갈 수 있었습니다.

오페라 작곡의 대가였던 헨델. 그는 더는 오페라를 작곡하지 않고 종교적인 오라토리오(「유다스 마카데우스」, 「이집트의 이스라엘 인」, 「솔로몬」, 「여호수아」, 「테오도라」)만을 작곡하게 되는데요. 헨델에게 있어 오라토리오 작곡은 매우 중요한 부분이었다고 볼 수 있습니다. 힘들었던 시기에 종교작품들을 작곡하며 내면적으로 다시 일어설 수 있는 용기를 얻었을 테니 말입니다.

마침내 그는 합창 음악의 대가라는 인정을 받게 됩니다. 그리고 드디어 그의 최고 작품 「메시아Messiah」가 탄생하게 되지요. 메시아는 23일 만에 작곡되었다고 하는데요. 그는 이 곡을 완성하고 "신께서 나를 찾아오신 것만 같다"라는 말을 했다고 합니다.

3개의 부분으로 구성된 이 작품은 그리스도의 탄생, 수난, 부활을 담고 있는 작품인데요. 성경 구절을 작품에 나타내었고, 악보 서문에는 "신의 뜻이야말로 위대하다. 지식과 지혜의 보배는 모두 신께 있다"라고 적어두었답니다.

「메시아」는 영국에서 폭발적인 호응을 얻습니다. 당시 얼마나 큰 인기가 있었냐 하면 공연을 보러오는 극장에 관객들이 꽉 찼던 탓에, 혼란스러움을 방지하기 위해 콘서트를 보러오는 관객들에게 이와 같은 말을 할 정도였다고 합니다. "여성분들은 치마를 부풀리는 보조 속옷을 입지 마세요!", "공간을 많이 차지하지 않는 복장을 하고 오세요!" 게다가 영국의 왕이었던 조지 2세는 「메시아」에 나오는 합창 부분 "할렐루야! 할렐루야! 할렐루야! 할렐루야!"를 듣고 기립하기도 했다고 하는데요. 지금까지도 「메시아」의 합창 부분이 나올 때면 그리스도의 부활과 영원한 생명을 주심에 감사하며 전원 기립을 하는 전통이 있다고 합니다.

헨델은 「메시아」를 통해 이전보다 훨씬 유명해졌습니다. 그는 엄청난 돈을 벌어들여 어려운 사람들을 위해 기부도 많이 했다고 합니다. 이렇게 대성한 「메시아」는 오늘날에도 전 세계에서 성탄절과 연말에 자주 공연되는 작품이기도 합니다.

헨델은 말년에 자신은 성금요일에 세상을 떠나고 싶다며 기도했다고 하는데요. 신기하게도 그는 정말 1759년 4월 성금요일에 세상을 떠났습니다. 그리고 그의 장례식에는 3천 명의 사람들이 참석하여 그를 애도했습니다. 그 이후 독일 출생인 헨델은 영국의 위인들(뉴턴, 다윈 등)만 묻힌다는 웨스트민스터 사원에 안치되어 영국을 대표하는 작곡가로 기억되고 있답니다.

동갑내기 바흐와 헨델

바흐와 헨델은 1685년 독일에서 태어난 동갑내기 작곡가입니다. 그래서인지 보통 바흐와 헨델을 비교하는 경우가 많은데요. 두 사람은 음악 스타일이 완벽히 다른 작곡가였답니다. 또한 바흐는 평생 독일을 떠나지 못하고 교회와 궁정에서 일했던 음악가였으나, 헨델은 영국 런던으로 떠나 유럽 각지의 연주자들과 교류하며 살았던 오페라와 합창 작곡가였지요.

＊**Händel**

♪ 수상음악 HWV.348-350

♪ 왕궁의 불꽃놀이 라장조

♪ 오라토리오 「메시아」 HWV.56 중 '할렐루야'

♪ 하프 협주곡 내림 나장조 1 악장

♪ 오라토리오 「솔로몬」 중 '시바 여왕의 도착'

클린이를 위한 감상 tip

헨델의 오페라 「세르세」 중 아리아 '나무 그늘 아래서(라르고)'를 연주했습니다. 오페라의 내용은 상관없이 아리아 제목처럼 크나큰 나무 그늘에서 더위도 식히고 일상의 피로를 모두 내려놓으며 휴식을 취하는 느낌을 받을 수 있는 작품이지요. 여러분에게도 나무 그늘 같은 존재가 있나요? 만약 없으시다면, 음악이 그 자리를 대신하면 어떨까요? 감상하시면서 달콤한 휴식시간이 되시길 바랍니다.

Classical music

음악으로 꽃피운 고통

차이콥스키

Pyotr Ilyitch Tchaikovsky, 1840-1893

러시아 모스크바에 가면 세계적으로 유명한 음악학교가 있습니다. 바로 차이콥스키 음악원인데요. 표트르 일리치 차이콥스키는 1866년에 학교가 세워지고 난 후, 이곳에서 음악 이론을 가르쳤다고 합니다. 그래서 1904년 부터 그의 이름을 딴 차이콥스키 음악원으로 불리게 된 것이지요.

대학원에 다닐 때 차이콥스키 음악원의 학생들과 합동 공연을 한 적이 있습니다. 2주간 모스크바 차이콥스키 음악원 기숙사에 머물며 그들과 함께 연습하고 공연을 했던 기억이 나는데요. 당시 차이콥스키 음악원의 학생들은 자신들이 세계적으로 유명한 작곡가의 흔적이 남겨져 있는 학교의 학생이란 것에 엄청난 자부심을 느끼고 있었답니다.

러시아의 작곡가 하면 가장 먼저 떠오르는 차이콥스키. 그는 한국인이 가장 사랑하는 작곡가 중 한 사람이기도 합니다. 매년 연말이 되면 많은 공연장에 그의 발레 작품 「백조의 호수」와 「호두까기 인형」이 무대를 가득 채우지요. 그의 두 작품은 한 해를 마무리하는 사람들의 마음을 한껏 들뜨게 하기도 합니다.

이처럼 귀에 쏙쏙 들어오는 멜로디와 감정을 끌어올리는 감성적 선율로 한국인뿐만 아니라 전 세계인에게 크게 사랑받는 차이콥스키. 혹시, 그가 동성애자였다는 사실 알고 계셨나요? 평생 남들에게 말하지 못할 고통을 품고 살았던 차이콥스키에게 과연 어떤 이야기가 숨겨져 있는지 알아봅시다.

차이콥스키의 음악

차이콥스키는 어릴 적부터 음악에 뛰어난 재능을 보였으나, 부모님의 반대로 법학을 공부했습니다. 그러나 그는 도저히 음악에 대한 열정과 사랑을 참을 수가 없었습니다. 꿈을 포기할 수 없었던 그는 결국 음악학교에 입학하게 되지요.

차이콥스키는 당시 최고 피아니스트이자 페테르부르크 음악원을 설립한 안톤 그리고리예비치 루빈스타인Anton Grigorievich Rubinshtein에게 수업을 받고 페테르부르크 음악원을 졸업하게 됩니다. 그는 학교에서 음악공부를 하며 러시아 국민악파인 러시아 5인조*와 서유럽 작곡가들의 음악을 분석하고 비교합니다. 그렇게 점차 자신만의 음악 세계를 찾아갔지요.

음악학교를 졸업한 차이콥스키는 러시아 모스크바 음악원의 교수가 됩니다. 그리고 1874년에 '피아노 협주곡 1번 op.23'을 작곡하지요. 광고 음악에 자주 등장하여 우리에게 익숙한 멜로디의 이곡은 피아니스트라면 꼭 한번 연주하고 싶은 곡이라고 하는데요. 러시아의 정서와 열정 그리고 사랑스럽고 로맨틱한 선율이 단번에 마

---

* 러시아 5인조: 러시아 민족 정서에 뿌리를 둔 민족주의 음악을 추구하는 음악사조를 바탕으로 한 국민악파이다. 작곡가 글링카를 시작으로 큐이, 보로딘, 발라키레프, 무소르그스키, 림스키 코르사코프가 음악을 이끌었다.

음을 사로잡는 곡이랍니다.

이 피아노 협주곡 1번은 차이콥스키가 자신의 선생님이었던 안톤 루빈스타인의 동생 니콜라이 루빈스타인에게 헌정했던 곡이라고 합니다. 그는 당대 최고 피아니스트였는데요. 차이콥스키는 그가 이 곡을 초연해주길 바랐습니다. 그러나 루빈스타인은 차이콥스키의 곡이 너무 형편없다며 단번에 거절해 버렸다고 하는데요. 사실 차이콥스키가 이 곡을 작곡할 때, 자신에게 자문을 구하지 않았던 것이 괘씸하여 그랬다는 이야기가 있답니다.

냉정히 거절당한 이 작품은 독일의 지휘자 한스 폰 뷜로* 에게 너무나 놀라운 곡이라는 극찬을 받게 됩니다. 이후 한스는 음악 여행을 다니며 여러 공연장에서 이 곡을 지휘했고, 미국의 보스턴 심포니 오케스트라와 함께 연주하기도 했습니다. 덕분에 이 작품은 러시아 작품 중 최초로 다른 나라에서 초연되는 작품이 되었답니다.

차이콥스키의 고통

당시 대부분의 작곡가는 여성들에게 아주 인기가 많았습니다, 그로 인해 여성과의 스캔들이 끝이질 않았는데요. 차이콥스키는 달랐습

---

* 한스 폰 뷜로(Hans von Bulow, 1830-1894) : 최초의 전문 지휘자이며 여러 클래식 작곡가의 작품을 초연할 때 지휘를 담당한 경험이 많다.

니다. 그 또한 한 여성과 결혼하긴 했으나 그의 결혼 생활은 아주 불운했지요. 그는 바로 동성애자였기 때문입니다.

당시 동성애는 국가에서 엄중하게 처벌하는 죄목 중 하나였습니다. 당연히 차이콥스키는 자신의 정체성을 숨기고 살아갈 수밖에 없었지요. 그러던 중, 차이콥스키의 앞에 한 여인이 등장합니다. 그녀는 그의 인생에서 아주 중요한 역할을 하게 되지요.

여인은 차이콥스키가 모스크바 음악원의 교수로 있을 때 그의 음악을 무척 좋아했던 사람으로, 무려 15년 동안 그에게 막대한 지원을 해 주었던 사람이었습니다. 그녀의 이름은 폰 메크 부인으로, 러시아 철도 사업에서 돈을 많이 벌었던 사업가의 미망인이었습니다.

폰 메크 부인은 차이콥스키에게 음악원에서 받는 월급의 5배가 넘는 돈을 주며 그가 오로지 작곡에만 전념할 수 있도록 도왔습니다. 두 사람은 15년 동안 무려 1,000통이 넘는 편지만을 주고받으며 우정을 유지했다고 하지요.

"당신을 몹시도 만나고 싶어질 때가 있어요. 하지만 당신에게 매혹 당할수록 당신을 만나기가 두려워집니다. 지금처럼 적당히 거리를 두고 당신을 생각하고 싶어요. 당신의 음악 속에서 당신과 함께하겠습니다."

- 폰 메크의 편지

실제로 한 번도 만난 적이 없었다는 두 사람. 한 번의 만남도 없이 이와 같은 관계를 유지했다니 정말 대단한 일 아닌가요? 폰 메크 부인의 이런 도움으로 차이콥스키는 경제적 걱정 없이 마음껏 자신의 창작세계를 펼칠 수 있었습니다. 그러나 평화로운 일상을 지내던 1890년의 어느 날, 폰 메크 부인은 차이콥스키를 위한 재정지원을 갑작스레 멈추게 됩니다. 그녀는 "파산을 해서 더는 도와줄 수 없다!"라는 말을 남겼다고 하는데요. 차이콥스키는 갑작스러운 그녀의 변심에 우울증이 극도로 심해져 몹시 괴로워했다고 합니다.

갑자기 변심한 폰 메크 부인. 그녀는 차이콥스키가 세상을 떠난 지 3개월 후, 곧바로 사망하였다고 합니다. 이런 점을 보면 두 사람의 인연이 보통은 아니었던 것 같습니다.

차이콥스키의 작품

발레 모음곡 「백조의 호수」 op.20

대부분 '발레' 하면 가장 먼저 「백조의 호수」에 나오는 백조들의 춤이 떠오를 것입니다. '춤을 추다'라는 뜻의 이탈리아어에서 유래 된 발레는 춤, 의상, 무대, 음악을 연출하여 극의 내용을 사람의 몸짓으로 전달하는 종합예술이지요. 혹시 오페라와 흡사하다는 생각이 들지 않나요? 오페라는 극의 내용을 노래로 전달하고 발레는 춤으로 전달한다는 점에서 차이가 있답니다.

발레는 16세기 프랑스에서 발전하고 크게 유행하였는데요. 러시아로 간 발레는 작곡가 차이콥스키에 의해 음악과 안무가 혼연일체 되듯 발전하여, 예술적 완성을 이루게 되었지요. 지금도 모스크바 볼쇼이 극장의 발레 공연은 아주 큰 인기를 끌고 있답니다.

차이콥스키는 발레와 함께하는 3곡의 음악을 작곡하였습니다. 지금까지도 전 세계인들에게 사랑받고 있는 「백조의 호수」, 「호두까기 인형」, 「잠자는 숲 속의 공주」가 바로 그의 작품이지요. 그중에서 가장 처음 작곡된 「백조의 호수」*는 러시아에서 전해져 내려오는 동화를 기초로 해서 작곡된 것인데요. 모두 4막으로 구성되어있지요. 환상적인 발레와 차이콥스키의 음악 덕에, 마치 꿈을 꾸는 중인 것처럼 느껴지는 아름다운 작품입니다. 그중 백조로 변한 오데트 공주의 등장과 함께 나오는 선율 '백조의 주제'는 아주 유명한 선율이기도 하답니다.

차이콥스키는 3개의 발레 작품들을 통해 발레 음악이 춤을 추기 위한 반주가 아닌 춤과 동등한 위치의 예술이라는 것을 일깨워 주었습니다. 「백조의 호수」는 처음 무대에 올랐을 때 그리 인기를 끌지 못했는데요. 차이콥스키의 음악 덕에 안무를 보강한 후 오늘날

---

* 백조의 호수: 마법에 걸려 백조로 변한 공주 오데트를 사랑한 왕자 지그프리트의 슬픈 사랑 이야기

의 사랑받는 발레 작품으로 완성될 수 있었답니다.

교향곡 6번 '비창'

"내 작품 중에 가장 진지한 작품" - 차이콥스키

이 곡에서는 작곡가의 고민과 아픔을 절절히 느낄 수 있습니다. 차이콥스키는 이 곡을 쓰는 동안 자주 눈물을 흘렸다고 하는데요. 과연 무엇이 그토록 그를 슬프게 한 것일까요?

그 이유는 바로 그의 성 정체성에 있습니다. 동성애자였던 그는 자신의 성 정체성에 대해 늘 괴로워 했지요. 그는 여성과 결혼을 하긴 했지만 결혼 생활을 무척 힘들어했고, 자신의 동성애 사실이 사람들에게 알려질까 늘 두려워했다고 합니다.

당시 차이콥스키는 황실에 있는 공작의 남자 조카와 사랑에 빠졌는데요. 그것을 알아챈 공작이 황제에게 차이콥스키를 처벌해 달라고 요청했지요. 정교회 국가인 러시아에서 동성애는 사형이나 종신형으로 처벌되었습니다. 게다가 동성애자로 죽으면 장례식 또한 제대로 치르지 못했지요. 결국, 차이콥스키는 비소(독약)를 먹고 스스로 목숨을 끊기로 결심합니다.

그의 사정을 알았던 주위 사람들은 그의 명예를 존중해 주고자 했습니다. 그래서 그가 세상을 떠난 후, 차이콥스키가 콜레라에 걸려 사망하였다고 세상에 발표하였고 장례식 또한 치러 주었다고 하네요. 그래서인지 당시 그의 장례식에서 이상한 모습 한 가지를 발견할 수 있었습니다. 그 당시에는 콜레라에 의해 사망한 경우, 전염을 막기 위해 시신을 금속관에 봉인해 땅에 묻는 것이 의례였지만, 차이콥스키의 장례식은 일반적인 모습으로 치러졌다는 것입니다. 심지어 사람들은 시신의 손에 이별의 의미로 입을 맞추기도 하였답니다.

그가 죽음을 앞두고 하루하루를 살아가며 작곡한 곡이 바로 「비창」이었습니다. 그는 이 곡을 초연하고 9일 만에 세상을 떠났지요. 그러고 보면 차이콥스키는 자신을 위한 레퀴엠을 작곡한 셈입니다. 이처럼 말 못 할 사연이 있는 작품이다 보니, 오늘날까지도 「비창」은 추모 음악회나 장례식에서 연주되기도 한답니다.

이 작품에는 자신의 거부할 수 없는 운명, 비극, 고독, 긴장 그리고 삶에 대한 애착 등의 모든 감정이 고스란히 담겨있습니다. 덧붙여 곡의 마지막 부분을 듣고 있으면 차이콥스키가 느꼈을 가슴 아픈 삶과의 이별에 대해 생각하게 되고, 이내 가슴이 먹먹해지기도 한답니다.

✳ Tchaikovsky

♪ 현악 6중주 op.70 「피렌체의 추억」

♪ 현악 4중주 1번 2악장 '안단테 칸타빌레'

♪ 바이올린 협주곡 라장조 op.35

♪ 발레 모음곡 「백조의 호수」 중 '정경'

♪ 피아노 협주곡 1번 op.23

신앙을 음악에 담아낸 작곡가

비버

Heinrich Ignaz Franz Von Biber, 1644-1704

가톨릭 신자는 예수 그리스도의 어머니인 성모 마리아를 공경합니다. 성모 마리아의 신앙고백은 신앙인이 가져야 할 참된 자세를 알려주는데요. 가톨릭 신자들의 묵주기도는 성모 마리아에게 드리는 사랑의 장미 꽃다발이라고 합니다. 마치 묵주 한 알 한 알이 장미 한 송이 같다는 생각이 드네요.

　　성모 마리아는 아들인 예수 그리스도가 고통과 수난의 길을 가는 모습을 바로 옆에서 모두 함께했는데요. 고통을 받으며 죽어가는 아들을 바라보는 어머니의 마음은 과연 어땠을까요? 도저히 말로 표현할 수 없는 슬픔을 겪었을 것이라 감히 생각해 봅니다.

　　이러한 성모 마리아의 애절한 마음을 바이올린을 통해 작품으로 표현한 작곡가가 있습니다. 바로 하인리히 이그나츠 폰 비버입니다.

비버의 일생

바이올린 연주자이자 작곡가였던 비버는 1644년 체코에서 태어났습니다. 그는 체코의 예수회에서 운영하는 음악학교에 다녔는데요. 바이올린 연주에 아주 뛰어난 실력을 보였다고 합니다.

그는 당대의 바이올린 연주자들이 따라올 수 없는 기교를 가졌다고 합니다. 덕분에 오스트리아 잘츠부르크 대주교의 궁정에 취직할 수 있었지요. 그리고 최고의 책임자 자리까지 승승장구했습니다. 그의 음악적 활동은 황제에게도 인정받을 정도였는데요. 그 덕에 비버는 당시 엄격한 신분제도였던 사회에서 무려 귀족계급까지 올라갈 수 있었습니다. 그리고 가장 높은 계급인 영주로 살면서 아주 명예로운 인생을 보냈지요.

그는 바이올린 연주 실력이 뛰어났을 뿐만 아니라, 구성이 잘짜인 훌륭한 작품들 또한 많이 작곡하였습니다. 하지만 이상하게도 그는 사망 후 아주 오랫동안 사람들에게 잊혀있었답니다. 바이올린을 전공한 저도 비버에 대해 잘 몰랐고, 무대에서 그의 작품을 연주했던 적 또한 없었거든요. 하지만 현대에 들어서면서, 고음악(16세기와 17세기 음악들)을 전문적으로 연구하고 복원하며 비버는 새롭게 주목받고 있습니다. 덕분에 17세기 유럽 음악사 속 최고의 바이올린 연주자이자, 새로운 바이올린 주법을 만든 이로 알려졌지요.

그의 작품으로는 「조화로운 기교적 선율」, 「기교적이고 즐거운 합주」, 「잘츠부르크 미사」, 「묵주 소나타」, 현을 위한 10개의 춤곡, 8개의 바이올린과 콘티누오를 위한 소나타, 10개의 미사곡, 5개의 오페라 등이 있는데요. 그중에서도 그의 신앙적인 믿음을 음악으로 담아낸 작품을 자세히 살펴볼까요?

비버의 작품

「묵주(로사리오) 소나타」

「묵주 소나타」는 비버의 작품 중 가장 유명한 곡입니다. 종교적 내용을 노래 가사로 전달하지 않고 악기연주로 표현하는 것은 쉬운 일이 아닌데요. 그가 새로운 시도를 한 것이지요.

이 곡은 성경의 내용을 담고 있습니다. '마리아 생애의 15개 신비에 대한 예찬'이라는 부제가 붙여진 이 작품은 환희의 신비, 고통의 신비, 영광의 신비까지 총 세 개의 부분으로 나누어져 있습니다. 수태고지*에서 승천까지 성모 마리아의 일생 중에서 중요한 사건들을 음악으로 표현했는데요. 세 개의 부에 각각 5곡씩 포함되어

---

* 수태고지 : 신약성서에서 나오는 부분으로 천사 가브리엘이 마리아에게 예수 그리스도를 잉태함을 예고하는 부분이다.

모두 15곡으로 되어있고, 수호천사를 그린 동판화가 포함된 무반주 작품까지 합쳐 모두 16곡으로 구성된 작품입니다. 종교적인 내용을 담고 있는 작품이지만, 음악을 들으면 종교적인 느낌보다는 감미롭고 아름다운 선율이 먼저 느껴지는 곡이랍니다.

15곡이 나누어진 3부 중 1부는 환희의 신비로 시작됩니다. 첫 곡은 가브리엘 천사가 성모 마리아에게 인사를 드리며 시작되는데요. 그가 했던 인사, '안녕하세요, 마리아님!'을 라틴어로 하면, 바로 우리가 알고 있는 '아베 마리아Ave maria'가 되지요. 많은 작곡가가 이 순간을 기억하며 아베 마리아라는 제목으로 작품을 썼답니다. (작곡가 페르골레지, 슈베르트, 구노, 카치니, 생상 등)

이 부분은 성모 마리아가 자신에게 주어진 순명을 받아들이며 인류 구원의 시작을 알리는 부분인데요. 가톨릭 신자라면 누구나 매일 바치는 성모송이 바로 천사의 인사말과 마리아의 응답이랍니다.

3부 중 2부인 고통의 신비는 예수 그리스도가 인간을 위해 십자가에 못 박히는 고통과 그 의미를 묵상하는 부분입니다. 2부의 마지막 부분에서는 어머니 마리아를 제자 요한의 어머니로, 요한을 마리아의 자녀로 맺어주는 장면을 음악으로 표현하는데요. 사랑하는 제자 요한이 주의 말씀을 몸소 실천하는 삶을 사는 것처럼, 우리도 어머니의 사랑과 함께하며 예수 그리스도에게 인도되기를 간절히 바라는 마음이 표현된 것을 느낄 수 있습니다.

　마지막 3부는 영광의 신비입니다. 성모 마리아가 모든 천사와 성인들의 환호와 함께 하늘로 승천하여 천상 모후의 관을 쓰는 내용을 담고 있는 작품이지요. 이렇게 총 3부로 된 15곡의 연주가 끝나면 바이올린이 반주 없이 솔로 연주를 시작하는데요. 바로 16번째 곡의 연주가 시작되는 것입니다.

　'파사칼리아passacaglia'라는 제목을 가진 이 곡은 17세기 스페인과 이탈리아에서 유행한 춤곡 스타일의 작품입니다. 일정한 주제에 조를 바꾸어 연주하는 변주곡(하나의 주제를 설정하고 그것을 여러 가지 방법으로 변형하는 연주 형식으로 연주하는 곡)인데요. 이 곡에는 스코르다투라scordatura(현악기의 변칙조율)라는 조율 방법이 쓰입니다. 일반적으로 바이올린의 4개 현은 5도 간격(솔, 레, 라, 미)으로 조율되어 있는데요. 이 작품은 각각의 변주곡을 모두 다른 방식으로 조율하여 연주해야 하므로, 일반적인 조율에 익숙한 연주자가 쉽게 연주할 수 있는 작품이 아닙니다. 또한, 이 묵주소나타의 전체 연주 시간은 무려 2시간이 넘기 때문에 연주하기에도, 듣기에도 까다로운 작품에 속한답니다. 그러나 조율을 달리 연주하기 때문에 기존의 작품들과는 색다른 느낌들을 받을 수 있는 작품입니다.

　이 곡은 「미스터리 소나타Mystery Sonata」라고도 불립니다. 이 작품이 묵주기도와 함께 각각 신비의 묵상을 하고 있다는 이유로 비버의 사망 후에 붙어진 이름이라고 하는데요. 가톨릭 신자라면 언제나 평화를 가져다주는 묵주기도를 드리며 이 곡을 감상하시면 좋겠습니다. 또한, 종교와 관계가 없으시더라도 17세기 최고의 바이올린 연주자였던 비버가 남긴 작품을 통해 그 시대의 음악적 감성과 그의 진정성 담긴 마음을 느껴보면 좋을 것 같습니다.

클린이를 위한 감상 tip

 연주곡「묵주 소나타」중 환희의 신비 1곡과 고통의 신비 4번째 곡을 연주했어요. 곡에 담긴 이야기처럼 연주곡 또한 의아할 정도로 신비롭고 세련되며 현대적인 느낌을 준답니다. 저는 비버의 작품을 처음으로 연주해 보았는데요. 왜 당대의 최고의 바이올리니스트로 여겨졌는지 단번에 이해가 되었습니다. 종교적 내용을 떠나서 17세기 유명했던 작곡가의 작품을 통해 그 시대의 감성과 분위기를 느껴보는 것도 좋을 것 같습니다.

마마보이 작곡가

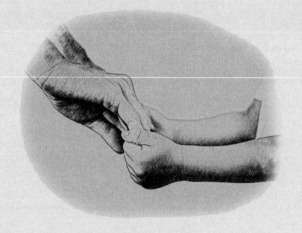

비제

Georges Bizet, 1838–1875

클래식 작곡가 조르주 비제를 아시나요? 아마도 많은 이들이 '누구지?' 하며 고개를 갸우뚱할 텐데요. 그러나 이름과는 달리 그의 음악은 누구나 많이 들어보았을 것 같습니다.

그의 작품 「아를의 여인」 모음곡 중 '미뉴엣'이 여러 공중 화장실의 배경음악으로 자주 사용되거든요. 또 오페라 「카르멘」 중 '투우사의 노래'는 장 건강을 생각하는 모 회사 유산균 제품의 광고 음악으로 사용되기도 했지요. 그렇다면 이토록 유명한 작품을 만들어 냈던 비제는 왜 생소한 작곡가가 되었는지, 그는 어떤 이야기를 가진 작곡가인지 한번 만나볼까요?

비제의 일생

비제는 1838년 프랑스 근교에서 태어났습니다. 그는 성악가 아버지와 피아니스트 어머니 사이에서 태어난 외동아들이었지요. 비제의 아버지는 원래 이발사 겸 가발을 만드는 사람이었는데요. 노래를 무척 잘했던 덕에 뒤늦게 음악공부를 시작하여 성악가가 되었다고 합니다.

음악을 좋아했던 부모님의 영향 때문이었는지, 어린 비제는 예민한 귀를 가질 수 있었습니다. 그는 소리를 잘 분별해낼 뿐만 아니라, 뛰어난 음악성을 보이기도 했다고 합니다. 그의 부모님은 비제의 재능을 알아보고 곧바로 음악 영재 교육을 시작했습니다. 그들의 교육열이 얼마나 높았는가 하면, 비제의 어머니는 비제가 피아노 연습을 하는 동안 그가 옷을 갈아입는 시간조차 아까워할 정도였지요. 그래서 옷을 직접 갈아입히기도 했답니다.

비제의 부모님은 하나뿐인 외동아들을 멋진 음악가로 만들기 위해 여러 노력을 했습니다. 하지만 비제는 음악가가 되는 것을 원하지 않았지요. 그는 문학을 공부하는 사람이 되고자 했습니다. 이에 노발대발한 그의 부모님은 10세도 되지 않은 비제를 파리 음악원에 입학시키려 합니다. 음악원에서는 아이의 재능은 뛰어나지만, 아직 나이가 너무 어려 입학을 할 수 없다고 했습니다. 하지만 비제의 아버지는 포기하지 않고 고집을 부립니다. 끝내 비제는 파리 음악원에서 공부를 시작하게 되었습니다.

비제는 음악원을 다니며 열심히 피아노와 작곡 공부를 했습니다. 그는 그렇게 미래의 음악가가 되기 위해 준비했는데요. 당시 비제의 피아노 연주실력은 매우 뛰어났다고 합니다.

'피아노 연주'하면 19세기 유럽 최고의 피아니스트 프란츠 리스트Franz Liszt가 생각나는데요. 피아노와 관련된 리스트와 비제의 재미난 일화가 하나 있답니다.

당시 피아노 연주에는 세상 누구보다 자신이 최고라 생각했던 리스트. 그는 작은 연주회에서 무척이나 어려운 피아노곡을 연주하고, 이 곡을 연주할 수 있는 사람은 자신 외에 독일에 있는 한스 폰 뷜로(리스트의 사위)밖에 없다고 큰소리를 칩니다. 그때 같은 장소에 있던 비제도 연주를 듣고 있었는데요. 비제의 피아노 실력을 잘 알고 있던 지인이 비제에게도 피아노를 한번 쳐보라고 권유합니다. 비제는 곧장 피아노 앞으로 가서 조금 전 리스트가 쳤던 곡에서 가장 어려운 부분을 골라 완벽하게 연주했지요.

연주를 들은 리스트는 자신이 했던 말을 민망해합니다. 그리고 비제에게 "내가 잘못 알았네. 이 곡을 칠 줄 아는 사람은 세 사람이군. 근데 자네 나이가 가장 어리니 앞으로 더 뛰어난 연주가가 되겠어"라는 말을 했지요.

비제가 18세가 되었을 때, 그는 1위 입상을 하면 3년간 로마로 유학을 보내주는 로마대상 작곡경연대회에 참가하여 대상을 차지하고 유학을 떠나게 됩니다. 인생 처음으로 부모님의 품을 떠나 유학 생활을 하게 된 것이지요.

비제는 유독 어머니에게 각별한 애정이 있었습니다. 그는 로마로 유학을 가서도 자신의 공부 이야기, 친구 사이, 심지어 누굴 사귀고 헤어지는지와 같은 이성 친구에 관한 이야기까지, 시시콜콜한 이야기들을 모두 편지에 적어 어머니에게 보낼 정도였지요. 게다가 그는 어머니가 너무 그리워 여자를 사귄다고 말한 적도 있답니다. 어머니의 영향 때문인지 비제의 여자친구는 주로 비제보다 나이가 많았다고 하는데요. 이 정도면 마마보이라고 볼 수 있지 않을까요?

비제는 작품 작업을 시작하면 몸이 만신창이가 될 때까지 과로하며 일을 했습니다. 그 이유는 어머니가 늘 근면을 강조했기 때문이었지요. 그런 이유로 비제는 어머니가 만족할 때까지 스스로 자신을 들들 볶으며 가혹하게 몰아붙였다고 하네요.

이렇게 어머니에게만 의지하며 살아온 비제. 그가 22세가 되던 해에 그의 어머니는 갑자기 위독해졌고 이내 세상을 떠났습니다. 어머니의 죽음은 비제에게 엄청난 좌절과 세상이 무너지는 슬픔을 가져다 주었다고 합니다.

비제는 37세의 삶을 사는 동안 그리 많은 작품을 발표하지 않았습니다. 작곡해 두었던 작품 대부분이 자신의 마음에 들지 않아 작품을 불태워 버렸다는 이야기도 있지요.

비제는 자신의 대표적인 작품 오페라 「카르멘」을 초연하고 3개월 후 심한 과로로 몸져누워 앓다가 갑자기 세상을 떠났는데요. 아마도 비제의 일생을 지배하던 콤플렉스(어머니 콤플렉스)가 자극되어 온통 작업에만 몰입했기 때문이었던 것 같습니다.

그의 친구들은 비제가 아파서 병상에 누워있을 때, 비제가 프랑스 정부가 수여하는 문화인에게 주는 훈장(레지옹 도뇌르 훈장)을 받을 수 있도록 문화부 장관에게 여러 번 부탁합니다. 결국 비제는 죽기 전에 최고의 훈장을 받을 수 있었는데요. 사실 이 훈장은 장관의 실수로 주어진 것이랍니다. 어떻게 된 일이냐고요? 비제의 친구들이 장관을 찾아가 비제의 훈장을 요청했을 때 장관은 그가 어떤 사람이냐 물었을 것입니다. 비제의 친구들은 그가 아주 훌륭한 작품들을 많이 작곡했고 그의 작품 중에는 「아를의 여인」도 있다고 하지요. 장관은 그 이야기를 듣고 깜짝 놀랍니다. 그리고 "아를의 여인? 그렇다면 당장 훈장을 수여해야지요!"라며 친구들의 요청을 수락하지요. 바로 이때 장관이 비제를 희곡 〈아를의 여인〉을 쓴 작가 알퐁스 도데Alphonse Daudet, 1840-1897로 착각한 것이라는 이야기가 전해진답니다.

콤플렉스를 명곡으로

비제가 남긴 작품의 수는 많지 않으나, 그의 오케스트라 곡 「아를의 여인L'Arlesienne」*과 오페라 「카르멘Carmen」(세계적으로 가장 유명한 오페라)만으로도 비제의 이름을 기억할 수 있습니다. 이 두 작품은 모두 도덕과 사회적 틀에서 벗어난 여인상을 주인공으로 하고 있는데요. 어머니 콤플렉스에서 벗어나 어떤 것에도 구속받지 않고 자유롭게 살고자 했던 비제의 욕구가 나타나 있는 작품들입니다.

비제의 콤플렉스 속에서 탄생 된 오페라 「카르멘」은 프로스페르 메르메Prosper Merimee의 원작 〈카르멘(1845)〉에 선율을 입혀, 1875년에 탄생하였습니다. 이 작품을 간략히 요약하자면, 유럽지역을 떠돌며 사는 집시여인 카르멘이 군인 돈 호세를 유혹하여 사랑에 빠지게 하는 것으로 시작합니다. 그리고 그의 인생을 흔들고 또 다른 남자를 유혹하여 결국 허무한 죽음으로 결론을 맺게 되는 내용이지요.

이 오페라의 1막 무대는 담배공장의 앞마당인데요. 점심시간이 되면 여공들이 담배를 피우며 우르르 나와 노래를 부릅니다. 「카르멘」은 이 처음 장면만으로도 큰 충격을 주는 작품이었지요. 당시 오페라 극장은 가족이나 연애를 막 시작한 젊은 남녀들이 분위기 있게

---

* 아를의 여인(L'Arlesienne) : 알퐁스 도데의 동명의 원작을 토대로 한 작품이며, 극음악으로 완성하고 그 중에 몇 곡을 뽑아 모음곡으로 만들었다.

문화생활을 하는 곳이었습니다. 그래서 오페라 속 여자 주인공들은 대부분 정숙한 여인으로 등장하였지요. 그러니까 비제는 그 당시 사회적 규범과 윤리에서 완전히 벗어난 여인상을 주인공으로 만들었던 것입니다.

그의 이러한 오페라 속 표현은 마마보이로 자란 비제가 어머니의 지배에서 벗어나고자 했던 심리가 내포되었던 것 아닐까요? 어머니의 지나친 애정과 간섭은 그를 늘 속박하고 있었고, 그런 답답함에서 벗어나고 싶었던 욕구가 자유로운 영혼을 가지고, 자신의 본능에 충실한 여인 카르멘으로 표출된 것이지요.

이 곡이 초연되었을 때 대부분의 관객이 혐오감과 불쾌감을 느꼈습니다. 하지만 러시아 작곡가 차이콥스키는 「카르멘」이 앞으로 10년 안에 가장 유명한 오페라가 될 것이라 장담했지요. 독일의 작곡가 브람스 또한 찬사를 보내며 여러 번 관람했다고 하는데요. 세월이 지나 많은 작곡가와 평론가들은 "비제의 작품 「카르멘」은 단 한 개의 음표도 버릴 게 없다"라고 극찬을 아끼지 않았습니다.

평생을 내적 갈등으로 힘들어했던 비제. 그가 가진 콤플렉스에서 탄생한 작품이 바로 오페라 「카르멘」인 셈이지요. 오페라 속의 아름다운 멜로디는 우리에게 큰 행복을 선사하는데요. 비제의 힘들고 고통스러웠던 시간 속에서 새로운 소중함이 탄생한 것 같습니다.

오페라 「카르멘」은 비제가 세상을 떠난 후, 그의 조국 프랑스가 아닌 다른 나라에서 더 큰 인기를 얻었답니다. 그리고 지금까지도 최고로 사랑받는 오페라 중 하나로 남아있습니다.

클린이를 위한 감상 tip

오페라 「카르멘」 중 '투우사의 노래'는 아마 비제의 작품 중에서 가장 대중적인 곡 중 하나일 것입니다. 투우사가 투우장에서 시합을 벌이기 전, 관중의 환호와 박수를 받으며 노래하는 아리아인데요. 한 번 들으면 따라부르게 되는 정렬과 패기가 넘치는 선율이 특징인 곡이랍니다.

Classical music

억울한 작곡가

살리에리

Antonio Salieri, 1750~1825

천재 작곡가 모차르트의 삶과 음악을 줄거리로 만든 영화 〈아마데우스 Amadeus〉를 보면 천재 작곡가 모차르트를 시기 질투하여 죽음까지 내 몰은 질투의 화신으로 등장하는 인물이 있습니다. 바로 안토니오 살리에리입니다.

1984년 미국에서 개봉된 영화 〈아마데우스〉는 크게 성공하여 세계적으로 인기를 끌었는데요. 이 영화 이후로 살리에리 증후군Salieri syndrome이라는 심리학적 용어가 생기기도 했습니다. 살리에리 증후군이란 같은 직업을 가진 사람들 사이에서 자신보다 뛰어난 사람과 그에 미치지 못하는 자신을 비교하며 열등감을 느끼는 것을 말하는데요. 단순히 열등감만으로 그치지 않고 그 대상을 시기하고 질투하는 심리를 말한답니다.

그렇다면 정말로 살리에리는 모차르트를 죽음에 내몰 만큼 그의 재능을 시기했을까요? 혹시 그것이 사실이 아니라면 후대에 왜곡된 자신의 모습이 너무 억울하진 않을까요? 과연 진실은 무엇일지 안토니오 살리에리의 이야기를 알아봅시다.

살리에리는 누구인가?

안토니오 살리에리는 이탈리아에서 태어났습니다. 그는 음악공부를 너무도 하고 싶었던 나머지 16세에 빈으로 유학을 갔지요. 그의 실력이 뛰어나다는 소문을 들은 황제 덕에, 그는 궁정의 음악가로 초청됩니다. 그때 살리에리의 음악에 반한 황제는 그를 빈의 궁정 음악을 책임지는 작곡가로 취직시켰지요. 황제의 최측근 음악가로 높은 자리에서 일하게 된 살리에리. 그는 무려 36년 동안 그 위치에서 일하며 아주 명예로운 일생을 보낸 작곡가랍니다. 살리에리는 음악가로서 최고의 직장에서 일하며 그 시대의 영향력 있는 음악가가 될 수 있었습니다.

36년 동안 한 직장에 오래 있을 수 있다는 것은 쉬운 일이 아닐 텐데요. 실력도 실력이지만 궁정 음악을 책임지는 직책이다 보니, 황제와의 원활한 관계 또한 잘 유지해야 했습니다. 그리고 황실의 가족들, 귀족들, 자신보다 직책이 아래인 음악가들과도 소통하며 친밀함을 유지해야 했답니다.

빈 궁정의 책임 음악가로 최고 위치에 있었던 살리에리. 그는 여러 귀족이나 음악가, 화가, 철학가, 시인 등 문화예술인들과 교류하며 사회활동의 폭을 넓히기도 했습니다. 더불어 그는 고전주의 시대의 대표적 작곡가 하이든과도 좋은 관계를 유지했지요. 게다가 작곡가 베토벤, 슈베르트, 체르니, 리스트 등은 어릴 적 살리에리에게 음악 수업을 받으며 기본기를 다지기도 했다고 합니다. 그 중 베토벤은 스승 살리에리를 존경하는 마음으로 곡을 만들어 그에게 선물하기도 했다고 하는데요. 명성만큼 인품도 좋았던 살리에리는 가정 형편이 어려운 학생들에게 수업료를 받지 않고 음악 수업을 해 주기도 했습니다. 게다가 재능을 인정받지 못하고 힘들게 살았던 음악가들이나 그들의 가족을 위해 자선 기부콘서트도 해주었다고 전해지지요.

살리에리와 모차르트의 진실

살리에리는 37개의 오페라, 오라토리오 등의 종교음악을 작곡하였는데요. 사실 살리에리의 작품 중 지금까지 연주되는 곡들은 많지 않지요. 그러나 당시 유럽에서 이탈리아 오페라가 인기를 끌고 있을 때, 살리에리의 몇몇 오페라들은 모차르트의 작품들보다 인기가 좋았다는 이야기가 있기도 하답니다. 이처럼 명예롭고 인품도 훌륭하여 어느 것 하나 부족함이 없었던 살리에리. 그렇다면 그가 영화 속 내용처럼 모차르트를 몹시 질투했던 것이 정말 사실인 걸까요?

모차르트는 아주 천재적인 작곡가였습니다. 누구도 그의 천재성을 인정하지 않는 사람은 없었지요. 그는 음악적으로 누구보다 뛰어나고 성숙한 어른이었지만 그의 일상적인 삶의 모습은 조금 달랐습니다. 모차르트는 어린아이처럼 자기 멋대로 말하고 행동하였으며 예의 없는 행동도 많이 했다고 하는데요. 어릴 적부터 신동 신드롬의 열풍을 타고 큰 인기를 얻었던 모차르트. 어린 나이에 집과 가족의 품을 떠나 유럽의 여러 나라를 돌며 연주 여행에 많은 시간을 보냈으니, 가족의 품에서 배워야 했던 인성교육이 부족했던 것이 아닌가 싶습니다.

('모차르트 편'에 나왔듯이) 모차르트는 오스트리아 잘츠부르크의 대주교 밑에서 음악가로 일하다, 대주교와의 의견 차이에 반기를 들며 직장을 그만둔 인물입니다. 이처럼 자기감정과 생각에 솔직했던 성격이 누군가에게는 무례한 행동으로 느껴질 수도 있었을 것입니다. 또한, 학교나 직장에서 뛰어난 실력과 인기, 준수한 외모까지 모두 갖춘 사람을 보면 괜히 질투심이 느껴지는 것처럼 그를 질투했던 사람도 있었을 것 같네요. 사람들이 모차르트를 향해 안 좋은 감정을 가졌었다면 이와 같은 여러 가지 이유가 섞여 한 번에 표출된 건 아닐까 싶습니다.

만약 모차르트가 살리에리를 만나 예의 없이 굴었다면 분명 살리에리도 모차르트를 좋은 마음으로만 보지는 않았을 것입니다. 그러나 여러 문헌을 살펴보면 살리에리는 모차르트에게 좋은 일자리를 소개해주기도 하고 음악적 이야기도 많이 나누었다고 합니다.

그는 모차르트의 음악적 천재성을 존중하고 칭찬을 아끼지 않았는데요. 돈도 많고 아주 명예로운 위치에서 부족함이 없이 살았던 살리에리. 그가 과연 자신보다 나이도 어린 작곡가를 향한 질투심 때문에 영화 〈아마데우스〉처럼 모차르트를 죽음까지 내몰 이유가 있었을까요?

영화는 극적인 내용을 만들어 재미와 흥미를 유발해야 하니 사실과는 다르게 만들어진 것이겠지요. 더불어 살리에리의 작품들이 모차르트의 작품처럼 오늘날까지 기억되지 않는다는 사실 또한 영화의 탄생에 한몫을 한 것 같습니다.

"만약 제가 음악으로 찬미하길 원치 않으신다면 왜 그런 갈망을 심어 주셨습니까. 갈망을 심어 주시고 왜 재능을 주지 않으십니까."

영화 〈아마데우스〉 속 살리에리가 남긴 대사입니다. 우리는 각자의 삶 속에서 각자의 열정을 가지고 살아갑니다. 그리고 원하는 일에 엄청난 노력과 시간을 쏟지만, 결과가 노력에 미치지 못하기도 하지요.

저 역시 연주자로서 최선을 다해 연습했지만, 무대 위에서 실수하거나 원하는 대로 연주를 마치지 못했을 때 포기하고 싶은 마음이 생기기도 합니다. 그리고 다른 사람의 삶과 나의 삶을 비교하며 스스로 비관하고 자신감을 잃기도 하지요. 하지만 만족과 행복, 자신감은 나만의 것 아닐까요? 다른 사람은 지녔지만, 나에겐 없는 것을 생각할 것이 아니라 나만이 가지고 있는 것을 어떻게 해야 소중히 가꾸어갈 수 있을 것인지 생각해 보는 건 어떨까요? 그렇게 한다면, 우리 삶의 시간이 더 큰 기쁨으로 바뀔 것 같습니다.

시네마 뮤직

엔니오 모리코네

Ennio Morricone, 1928–2020

우리는 음악 공연에 가지 않아도, 직접 음악을 찾아서 듣지 않아도 이미 많은 음악에 노출되어 있습니다. 그중 가장 흔히 음악을 접하는 방법이 바로 영화 속 음악, 시네마 뮤직이지요.

얼마 전 영화음악의 거장이라고 불리는 한 작곡가가 세상을 떠났습니다. 개인적으로도 참 좋아하는 작곡가였는데요. 바로 이탈리아의 영화음악 감독 엔니오 모리코네입니다.

엔니오의 영화음악은 많은 이들을 행복하게 만들었습니다. 그래서 그의 죽음이 더욱 안타까울 수밖에 없었지요.

"그는 단지 영화음악 작곡가가 아니다. 그는 위대한 작곡가다."

– 쥬세페 토르나토레(이탈리아 영화감독)

우리의 기억 속에 아름다운 추억을 만들어준 위대한 작곡가, 엔니오 모리코네의 이야기를 만나봅시다.

엔니오의 일생

엔니오 모리코네는 이탈리아의 로마에서 태어났습니다. 그는 클래식 음악을 전공했지요. 금관악기인 트럼펫을 공부하고 산타 세실리아 음악원에서 작곡을 공부하기도 했답니다. 학교를 졸업한 후에는 클래식 음악과 대중음악 무대에서 다양한 경험을 쌓았습니다. 그리고 인정받는 클래식 작품들을 작곡하기도 했지요. 그는 클래식 음악가로 활동하고자 했습니다. 그러나 그의 인생은 자신이 원했던 것처럼 흘러가지 않았습니다. 엔니오는 생활고로 인해 영화음악을 만드는 일을 시작하게 되는데요. 클래식 음악가가 되고자 했던 확고한 의지 때문이었을까요? 그는 초반에 영화음악을 편곡할 때, 본명 대신 가명을 사용했다고 합니다.

1960년부터 엔니오는 집중적으로 영화음악 작업을 시작하게 됩니다. 미국에서 활동하고 있던 세르지오 레오네*감독에게 발탁되어 영화 〈황야의 무법자〉의 음악 감독을 맡았지요. 그 덕분에 1965년에 스타 감독이 됩니다. 엔니오는 그렇게 영화음악 작곡가로 입지를 굳히게 됩니다.

그 후로 많은 영화가 그의 음악과 함께 빛을 발했습니다. 〈원스 어폰 어 타임 인 아메리카〉, 〈석양의 무법자〉, 〈미션〉, 〈시네마 천

---

* 세르지오 레오네(Sergio Leone, 1929-1989) : 이탈리아의 영화감독. 대표작으로 〈원스 어폰 어 타임 인 아메리카〉, 〈석양의 갱들〉, 〈석양의 무법자〉가 있다.

국〉, 〈러브 어페어〉 등의 음악이 모두 엔니오의 작품이지요. 그는 약 500여 편의 영화음악을 남겼습니다. 엔니오는 수상경력 또한 대단합니다. '유럽영화상', '골든글로브', '런던 비평가 협회 상', '영국아카데미 시상식', '아카데미 시상식', 'LA 비평가 협회 상', '시카고 비평 상' 등을 수상했지요. 이처럼 수많은 수상을 했던 그는 지금도 여전히 한 세대에 존경받았던 음악가로 우리에게 기억되고 있답니다.

엔니오 모리코네는 2020년 7월 6일에 세상을 떠났는데요. 장례식에서 그의 가족들은 그가 직접 준비해 두었던 부고를 발표했습니다. 그가 쓴 부고를 읽어 보면 엔니오는 자신의 음악처럼 가슴 따스한 울림을 주는 사람이었다는 것을 느낄 수 있지요.

"나 엔니오 모리코네는 사망했다"라고 시작하는 그의 부고는 "늘 가까웠던 친구들 그리고 잠깐의 인연이었던 만남들, 그리고 형제, 아들, 딸 모두 너무 감사합니다"라는 내용을 담고 있었으며, 마지막으로 아내에게 이야기를 전하고는 끝이 납니다.

"마지막으로 가장 소중한 아내 마리아. 지금까지 우리 부부를 하나로 묶어 주었으나 이제는 포기해야 하는 특별한 사랑을 다시 전합니다. 당신에 대한 작별 인사가 가장 마음이 아픕니다."

시네마 천국Cinema Paradiso, 1988

따스한 마음으로 많은 이들에게 위로가 되는 음악을 선물해 주었던 엔니오 모리코네. 그의 많은 작품 중 세 가지 영화의 음악을 만나보고자 합니다.

먼저 〈시네마 천국〉입니다. 이 영화는 어린 시절 영화가 가장 좋았던 소년 토토가 학교를 마치면 무조건 달려가던 아주 낡은 극장 '시네마 천국'에 대한 이야기입니다. 이 극장에는 필름을 돌리는 일을 하는 알프레도 아저씨가 있지요. 어린 토토의 꿈을 응원하며 사랑으로 함께한 알프레도 아저씨와 토토의 나이를 뛰어넘는 진한 우정이 관객의 가슴을 찡하게 하는 영화입니다.

소년 토토는 시간이 지나 유명한 영화감독이 됩니다. 그리고 알프레도 아저씨의 부고 소식을 듣게 되지요. 그는 무려 30년 만에 고향으로 향합니다. 그동안 첫사랑의 실패라는 가슴 아픈 기억과 고스란히 남겨져 있을 추억 탓에 고향에 갈 엄두조차 내지 못했던 토토. 오랜만에 찾아간 고향에서 시간의 흐름을 느낄 수 있는 고향과 사람들을 보며 그는 애틋한 추억의 시간을 느낍니다. 그리고 알프레도 아저씨가 마지막으로 남긴 선물을 보게 되지요. 그것은 당시 상영 금지로 편집되었던 남녀의 키스 신을 모아 만든 필름이었습니다. 영화 필름의 조각을 모두 이어 붙여 자신에게 선물한 알프레도 아저씨의 사랑과 정성 때문이었을까요? 어른이 된 토토는 그 필름을 보며 눈물을 흘립니다. 그리고 영화를 보는 관객들 또한 그와 함께 눈물을 흘렸지요. 남녀의 진정한 사랑의 모습을 통해, 어른이 된 토토가 진실한 사랑을 찾길 바라는 알프레도 아저씨의 마음이 엔니오의 음악 덕에 더욱 효과적으로 전해졌기 때문이 아니었을까요?

오랜만에 찾은 고향에서 토토가 느낀 아련한 추억들처럼 우리는 매일매일 추억을 만들며 살아갑니다. 언젠가 돌아보게 되었을 때, 매 순간을 추억할 수 있도록 지금 이 순간을 더욱 아름답고 기쁘게 살아보는 것은 어떨까요?

미션The Mission, 1986

이 영화는 제39회 칸 영화제에서 그랑프리를 수상했습니다. 1750년부터 6년간 남미 대륙에서 예수회 신부들이 인디오 원주민들을 선교하며 일어났던 실제 일을 바탕으로 한 작품이지요. 예수회 신부들은 영화 〈미션〉의 내용처럼 원주민들에게 종교를 전파하기 위해 순교하는 희생을 하였습니다. 그들은 그렇게 그리스도교의 정신을 조금씩 알려갔지요. 영화 속에서 주인공을 맡았던 로버트 드 니로 Robert De Niro는 원래 무교였다고 하는데요. 이 영화를 찍은 후 가톨릭 신자로 영세를 받았다는 이야기가 있기도 하답니다.

영화 속에서 신부들이 인종, 언어, 문화 등 모든 것이 다른 원주민과 소통하는 방법은 바로 음악이었습니다. 작품 속에는 가브리엘 신부의 오보에 연주로 인해 절대 넘을 수 없을 것 같았던 원주민들의 철벽같은 마음의 성벽이 와르르 무너져 내리는 장면이 나오기도 하지요. 이것이 바로 음악의 힘입니다.

음악은 모든 세계의 사람들을 하나로 묶는 세계 공통언어입니다. 사람들이 느끼는 감정들은 모두 서로 비슷할 것인데요. 음악은 신부들과 원주민들처럼 비슷한 감정을 공유하며 살아가는 우리가 서로를 더욱 이해하고 소통할 수 있게 해주는 매개체인 것 같다는 생각이 들었습니다.

피아니스트의 전설The Legend of 1900, 1998

이 영화는 1998년에 발표되었지만, 우리나라에서는 2020년이 되어서야 정식으로 개봉한 영화입니다.

> *"피아노를 봐. 건반은 시작과 끝이 있지. 그건 무섭지 않아.*
> *무서운 건 세상이야."*
>
> – 〈피아니스트의 전설〉 속 나인틴 헌드레드

1900년 유럽과 미국을 오가던 버지니아 호에서 태어나 버려진 나인틴 헌드레드는 평생을 바다에서 보냈습니다. 이 영화는 바로 바다 위 배 안에서 피아니스트로 살았던 나인틴 헌드레드의 일생을 그린 작품이지요. 무려 30년 이상 유럽과 미국을 오가는 삶을 살았던 나인틴 헌드레드. 그는 피아노 연주에 특별한 재능을 가지고 있었는데요. 배에서 내려 새로운 세상에서 자신의 재능을 펼치며 행복하게 살 수도 있었지만, 그는 출발과 도착이 정확하고 시작과 끝이 분명한 배 안에서만 머물며 살아갑니다. 세상에 나가면 너무나 많은 선택의 순간에 놓이게 된다는 것이 두려웠던 것이지요. 영화 속의 그는 한순간도 배에서 내리지 않습니다.

나인틴 헌드레드는 배 안에서 자신의 연주를 녹음하며 음반 작업을 하던 중 창 밖에 있는 여인을 보고 한눈에 반하게 됩니다. 그리고 첫사랑이자 마지막 사랑인 그녀를 위해 즉흥곡을 치는데요. 이 장면과 장면을 가득 채우는 음악은 단연코 영화 속 최고의 순간이라고 말할 수 있답니다.

마음을 빼앗아 간 그녀에게 말 한마디는커녕 제대로 된 인사조차 건네지 못한 나인틴 헌드레드. 그는 그렇게 그녀를 떠나보내고 말지요. 이 장면 속에 등장한 음악은 'playing love'라는 곡인데요. 주인공이 연주하는 피아노의 선율은 사랑의 설렘, 애틋함, 그리움 등 사랑의 모든 감정을 이야기하고 있는 것 같습니다. 엔니오 모리코네는 이 영화의 음악으로 '57회 골든글로브 음악상'을 받기도 했지요.

수많은 영화음악과 엔니오 모리코네의 영화음악은 분명히 다르게 느껴집니다. 가슴속에서 잔잔히 피어오르는 그리움과, 따스한 온기로 내 손을 꼭 잡아주는 듯한 포근함 그리고 입가에 잔잔한 미소를 짓게 하는 행복함이 바로 그 차이점이지요. 연주자라는 직업을 가진 저도 엔니오의 차이점을 단 한가지만이라도 가질 수 있다면, 그래서 누군가의 마음에 제 연주가 닿을 수 있다면 좋겠다는 생각을 늘 하곤 한답니다.

클린이를 위한 감상 tip

 영화 〈미션〉의 '가브리엘의 오보에'를 연주했어요. 우리는 인종이 달라도 언어가 달라도 음악으로 서로 공감할 수 있는데요. 이 곡은 이러한 기적과도 같은 영화장면에서 나왔던 음악이랍니다. 음악의 힘은 정말 이루 말할 수 없이 놀라운 것 같습니다. 오늘 하루도 이 곡 감상하시면서 기적과 같이 소중한 시간이 되시길 바랍니다.

Classical music

걸크러쉬 작곡가

힐데가르트 Hildegard von Bingen, 1098–1179

파니 Fanny Mendelssohn, 1805–1847

나디아 Nadia Boulanger, 1887–1979

300년이라는 오랜 역사를 가진 클래식 음악사에서 활동했던 작곡가와 연주자들은 대부분 남성입니다. 오랫동안 남성 중심의 사회가 이어져 온 탓에 당시 여성들이 사회활동을 한다는 것은 쉬운 일이 아니었기 때문이지요.

당시 여성이 작곡과 연주 활동을 하는 것에는 엄청난 제약이 있었을 것입니다. 그 이유는 음악의 시작부터 살펴볼 필요가 있는데요. 초기 음악사를 보면 17세기 이전 여성들이 교회 안에서 노래하는 것이 금지되어 있었습니다. 당시 성가대에서는 여성들이 부르는 소프라노 파트를 변성기 전 거세를 한 소년들이 대신하여 노래했지요. 그러다가 18세기 이후 점점 여성들이 음악가로 활동하기 시작했고 오늘날은 음악의 뮤즈로 전 세계를 누비며 활발하게 활동하고 있기도 한데요. 사실 17세기 이전에도 음악 활동을 해왔던 여성들이 있었답니다. 이러한 남성 중심의 사회에서 나름의 방법으로 자신만의 무대를 찾으려 했던 걸크러쉬! 우먼 파워 작곡가들을 만나 봅시다.

힐데가르트 폰 빙엔

1098년 독일 귀족의 10번째 딸로 태어난 힐데가르트 폰 빙엔은 8세의 어린 나이에 수도원으로 입회했다고 기록되어 있습니다. 그 이유는 여러 가지로 추측되는데요. 첫 번째로는 건강이 좋지 않아서 요양을 위해 입회했다는 것입니다. 또한, 그녀가 어릴 적부터 총명했던 터라, 그녀의 부모님이 학문을 배울 수 있는 수도원으로 보낸 것이라는 이야기도 있지요. 마지막 이유는 힐데가르트를 신에게 바치기 위함이었다고 하는데요. 당시 귀족들은 자신의 자녀를 십일조의 명목으로 신께 바치곤 했는데 프랑크 왕족의 귀족 가문에서 열 번째 자녀로 태어났던 그녀 역시 신에게 바쳐졌다는 것이지요.

과연 무엇이 진짜 이유인지는 모르지만, 중요한 것은 그녀가 신의 계시를 받아 어려서부터 미래를 예견하는 등 범상치 않은 능력을 지니고 있었다는 것입니다. 그러나 중세시대의 남성 중심 사회에서 그녀는 자신의 재능을 숨기며 살아야 했지요. 당시 교회 안에서도 수녀의 일은 남성 성직자의 보조 역할이었고 모든 수녀원은 수도원의 부속으로 운영되었거든요.

힐데가르트는 수도원에 입회하고 42세에 수녀원의 원장이 됩니다. 그녀는 원장 수녀가 되어서 최초의 독자적인 수녀원을 만들었는데요. 이것은 그 시대의 아주 획기적인 사건이었습니다. 수녀들이 직접 수녀원을 운영하며 가톨릭교회 안에서 수녀들의 입지를 굳히는 계기가 된 것이지요. 힐데가르트는 여러 사람을 직접 만나며 하느님의 말씀을 나누었고 그녀가 가진 지혜와 용기를 총동원하여 중세시대 여성들이 받는 제약을 슬기롭게 극복하는 목소리를 내기도 했답니다.

힐데가르트는 특히 학문과 예술에 두각을 나타내었습니다. 그녀는 두 권의 신학서를 쓰고 그림을 그리며 신을 찬미하는 시를 썼지요. 또한, 음악작품들을 작곡하기도 했답니다. 그녀는 성자들의 일생을 담은 내용으로 음악을 만들었고 무려 100여 편이 넘는 작품들을 작곡하였는데요. 그녀가 작곡한 음악은 지금까지도 전해지고 있답니다.

그녀의 작품은 여성이 작곡한 작품이라는 이유로 가톨릭교회 안에서 절대 연주할 수 없다며 엄청난 억압을 받았습니다. 하지만 그녀는 절대 굴하지 않고 자신의 영민한 머리로 지혜롭게 대처하였습니다. 끝내 그녀의 음악이 교회에서 울려 퍼지게 되었고 그녀의 음악은 인정받을 수 있었답니다. 그녀는 '천상의 계시로 이루어진 조화로운 교향악'이라는 성가집을 남기기도 했는데요. 이 성가집의 작품들은 중세 음악의 스타일을 아주 잘 느끼게 해주는 작품이랍니다.

여성이 음악가로 활동하는 것이 절대 불가능했던 사회에서 자신만의 소신을 지키며 본인이 가고자 했던 길을 만들어 나간 힐데가르트. 그녀는 중세 음악의 작곡가로 음악사 안에 영원히 기록되고 있습니다.

파니 멘델스존

「한여름 밤의 꿈」, 무언가 중 「봄의 노래」, 오라토리오 「엘리야」 등을 작곡한 독일의 작곡가 펠릭스 멘델스존의 이름은 널리 알려졌습니다. 멘델스존은 작곡가로서 많은 작품을 남기기도 했지만, 자신의 선배 작곡가인 바흐의 음악을 연구한 것으로 유명하기도 하지요. 그는 바흐가 오늘날 음악의 아버지가 된 데에 중요한 역할을 한 작곡가입니다. 멘델스존은 어려서부터 음악에 탁월한 재능을 보였는데요. 그의 친누나 또한 어려서부터 음악적 재능이 뛰어나, 동생과 함께 피아노를 치고 음악을 이야기하며 남매 사이를 돈독히 했지요. 그러나 우리는 멘델스존의 누나 파니 멘델스존의 이름은 전혀 알지 못합니다. 과연 이유가 무엇일까요?

파니가 살던 시대의 여성은 현모양처가 되는 것만이 이상적인 모습이었습니다. 사회에서 전문적인 활동을 하는 것은 어려운 일이었고 음악가가 되는 것 또한 당연히 힘든 일이었지요. 그래서 15세가 된 파니는 음악가로서의 꿈을 포기합니다. 그녀는 마음껏 자신의 꿈을 펼치는 동생 멘델스존을 마냥 부러워할 수밖에 없었지요. 그녀는 언제나 "여자의 소명은 가정주부의 역할에 충실한 것이니 음악은 취미로 하여라"라고 말씀하셨던 보수적이고 완강한 아버지의 뜻에 따라, 화가인 빌헬름 헨젤과 결혼을 하게 됩니다.

    파니의 남편은 다행히 그녀의 음악에 대한 열정을 이해하고
응원해 줍니다. 그는 파니가 가정살림을 하면서도 작곡을 포기하지
않을 수 있게 도와주었지요. 덕분에 그녀는 무려 400여 곡이 넘는 작
품을 쓸 수 있었습니다. 하지만 그녀가 작곡한 곡들을 그녀의 이름으
로 발표하기는 쉽지 않았습니다. 그래서 파니는 동생 멘델스존이 작
품을 출판할 때, 그의 작품들 사이에 번호를 추가하여 곡을 발표합니
다. 그러니까 동생의 펠릭스 멘델스존의 이름으로 자신의 작품을 발
표하게 된 것이지요. (12개의 가곡집 작품 중 8번, 9번이 파니 멘델스존의
작품이다.)

    그녀의 부모님이 세상을 떠난 후, 파니에게도 자신의 이름으

로 작품을 출판할 기회가 찾아옵니다. 1846년 파니는 자신의 이름을 단 최초의 작품(가곡 작품집과 피아노 독주곡)을 출판하게 되었지요. 그러나 행복은 잠시, 그녀는 1년 후 심장마비로 세상을 떠나게 됩니다. 무려 400여 곡이 넘는 작품을 작곡한 파니. 그녀는 겨우 10곡 정도의 작품밖에 출판하지 못하고 세상을 떠난 것이지요. 너무나도 안타까운 운명입니다.

누나의 죽음을 접한 멘델스존은 엄청난 슬픔으로 힘들어했습니다. 그리고 6개월 후 누나의 곁으로 떠나게 되지요. 이렇게 두 남매는 세상을 떠났습니다. 그러나 파니의 음악에 대한 그들의 열정과 포기를 몰랐던 용기는 그녀의 음악을 지금까지 기억하게 한답니다.

나디아 블랑제

나디아 블랑제는 세계대전이라는 혼란으로 암흑기에 들어섰던 19세기 말에서 20세기까지 프랑스에서 활동한 여성 음악가입니다. 그녀는 작곡가나 연주자보다는 참된 교육자로 더욱 유명하지요. 유명 작곡가 거쉰, 피아졸라, 코플랜드 등에게 영감을 불러일으키는 진정한 교육을 한 스승이었습니다. 저도 학교에 출강하며 학생들에게 음악을 교육한 지가 벌써 20년 가까이 되었는데요. 학생들이 각자 가지고 있는 장점을 파악하고 개인의 특이성을 잘 살려 주며, 그에 맞는 교육을 해 주었을 때 학생들이 크게 발전하게 된다는 것을 느꼈습니다. 바로 나니아 블랑제가 그런 교육을 한 스승이었던 것이지요.

　앞서 만난 두 명의 여성 작곡가는 여성이 음악가로 활동하는 것이 아주 힘들었던 시기에 활동하였다고 이야기했는데요. 나디아 블랑제가 음악 활동을 한 시기는 사회적 인식에 약간의 변화가 생겼을 때였습니다. 하지만 나디아 블랑제처럼 여성인 선생에게 남성들이 음악교육을 받는다는 것이 쉬운 일은 아니었을 것입니다. 그러나 그러한 사회적 인식 속에서도 그녀의 훌륭한 교육방법은 빛을 발했고 심지어 다른 나라에서 프랑스로 유학을 와 그녀의 제자가 되고자 했던 사람도 있었답니다. (에런 코플랜드, 노엘리, 디두 리파티, 돌턴 볼드윈 등.) 그 중 탱고 음악의 새로운 역사를 쓴 아르헨티나 출신의 탱고 음악 작곡가 아스트로 피아졸라와 스승 나디아 블랑제의 이야기를 해보고자 합니다.

　아르헨티나에서 태어난 아스트로 피아졸라Astor Piazzolla는 탱고클럽에서 반도네온 악기를 연주하며 일했습니다. 그는 클래식 작곡을 독학하고 아르헨티나 국내 콩쿠르에서 입상하여 음악가로 인정받았지요. 그 덕분에 정부에서 주는 장학금을 받아 프랑스로 유학을 떠나게 됩니다. 그리고 프랑스에서 나디아 블랑제의 제자가 된 것이지요.

　나디아 블랑제의 문하생이 된 피아졸라는 자신이 고향의 탱고클럽에서 반도네온을 연주했던 것을 숨겼습니다. 클래식을 연주한 것도 아니고 큰 콘서트장의 무대에 섰던 것도 아니었기 때문이었을까요?

어느 날 나디아 블랑제는 피아졸라가 수업시간에 작곡해온 악보를 유심히 바라보며 "이 작품은 어느 부분에서도 너의 모습이 보이지 않아!"라고 말했고 피아졸라가 가지고 있는 개성을 찾기 위해 계속해서 대화를 나누었다고 합니다. 대화 끝에 나디아 블랑제는 피아졸라가 반도네온으로 탱고를 연주했다는 사실을 알게 되었고 "네가 가장 너답게 할 수 있는 음악을 해라"라고 이야기하지요.

그 후 피아졸라는 자신이 가장 잘하는 탱고 음악에 클래식 음악의 요소들을 융합하여 Nuevo tango누에보 탱고라는 새로운 탱고 음악의 세계를 열었습니다. 그는 단순히 춤만을 추던 탱고 음악을 콘서트용 탱고 음악으로 급부상시킨 작곡가가 되었지요.

누군가에게 삶을 바꾸는 영감을 주고 그를 높여 줄 수 있는 스승이 바로 나디아 블랑제였습니다.

걸크러쉬는 girl소녀, 여자과 crush on반하다의 합성어이지요. 오늘 만난 세 명의 여성 힐데가르트, 파니 멘델스존, 나디아 블랑제 모두 만인을 반하게 만드는 당당하고 멋진 매력의 소유자들인 것 같습니다.

Classic For You

＊**Hildegard**
- ♪「거룩한 치유의 어머니」
- ♪「Ave generosa」

＊**Fanny**
- ♪ op.5 no.4 '멜로디'
- ♪ 현악 4중주 내림 마장조 1악장

＊**Nadia**
- ♪ 피아노와 오케스트라를 위한 환상곡

클린이를 위한 감상 tip

 힐데가르트의 곡이 바이올린 독주가 힘든 탓에, 그녀의 신앙심을 생각하여 가톨릭 성가를 연주해 보았습니다. 가톨릭 성가 218번 '주여 당신 종이 여기'는 제가 개인적으로 가장 좋아하는 성가 중 하나입니다. 제 인생 첫 음반의 제목도 '주여 당신 종이'라고 정하고 타이틀 곡 또한 그것으로 했으니, 제가 얼마나 좋아하는 곡인지 아시겠지요? 종교가 있든 없든, 어느 종교를 가지고 있든, 이 곡의 경건한 선율과 가사는 불완전한 인생에서 믿음을 찾을 수 있게 해준답니다.

법정에 선 작곡가

슈만 Robert Alexander Schumann, 1810-1856

프란츠 리스트 Franz Liszt, 1811-1886

우리는 TV에서 막장이라고 불리는 드라마들을 여럿 접할 수 있습니다. 이런 막장 드라마는 현실과 맞지 않으며, 말이 되지 않는 이야기라고 생각하는데요. 사실 이 드라마들은 꽤 높은 시청률을 자랑하며 인기 또한 좋답니다. 그렇다면 이런 막장 드라마들은 정말 현실과 동떨어진 드라마 속의 이야기일 뿐일까요? 아주 고상하고 우아해 보이는 클래식 음악 작곡가 중에도 이런 드라마 속의 주인공처럼 살았던 이들이 있다면 믿을 수 있으시겠어요? 사랑 때문에 얽히고설킨 관계와 그 사랑 때문에 법정에까지 섰던 음악가. 드라마보다 더 드라마 같았던 이야기를 가진 그들이 과연 누구인지 만나봅시다.

장인은 나의 적

첫 번째 막장 드라마의 주인공은 바로 독일의 작곡가 로베르트 알렉산더 슈만입니다. 슈만의 법정소송은 클래식 음악가들의 소송 중에서 가장 유명하지요. 그가 청구한 소송은 바로 사랑하는 여인과 결혼하기 위해 청구한 혼인소송이었답니다.

그는 자신이 사랑하는 여인인 클라라 조제핀 비크Clara Josephine Wieck의 아버지를 상대로 소송을 걸었습니다. 그러니까 미래의 장인이 될 분에게 혼인 허가 소송을 제기한 사건이지요. 사랑하는 여인과 결혼하기 위해 제일 잘 보여야 할 장인에게 소송을 걸었다니, 분명 그 뒤에는 엄청난 사연이 있었을 것입니다.

슈만은 어려서부터 문학과 음악에 재능을 보였는데요. 아버지가 일찍 세상을 떠난 후, 어머니의 강요로 음악가의 길을 선택하지 못했습니다. 그는 라이프치히 법대에 입학하게 되지요. 법대에 진학해서도 슈만의 관심사는 온통 음악뿐이었습니다. 그래서 법대에 다니며 프리드리히 비크Friedrich Wieck 교수에게 피아노 교습을 받게 되지요. 피아노 연주를 너무 좋아했던 그는 무리하게 연습을 하다가 손가락을 다치고 더는 피아노 연주를 하지 못하게 됩니다. 그 덕분에 작곡가로서 활발히 활동하게 된 것이지요. 그는 음악신보라는 잡지를 발간하여 음악에 대한 평론을 싣거나, 브람스나 쇼팽 등 유능한 음악가들을 세상에 소개해주는 중요한 역할을 하기도 하였답니다.

슈만은 심각한 우울증을 앓고 있었는데요. 환상을 보고 환청에 시달리는 등 정신적 문제를 앓았던 탓에 라인 강에 투신 자살 소동을 벌이기도 합니다. 나중에는 정신병원에 입원하여 46세의 나이로 세상과 작별하게 되지요.

우리가 기억하는 그의 대표적인 작품으로는 「어린이 정경」 op.15, 「아라베스크」, 가곡 「여인의 사랑과 생애」, 피아노 4중주 op.47 등 아름다운 음악들이 있는데요. 슈만이 이처럼 아름다운 곡들을 쓸 수 있었던 이유는 무엇이었을까요?

법대에 들어간 슈만이 비크 교수에게 피아노 교습을 받을 때였습니다. 그는 운명적인 사랑을 만나게 되지요. 바로 비크 교수의 딸 클라라 비크입니다. 슈만이 처음으로 클라라를 만났을 때는 클라라의 나이가 고작 9세였을 때였어요. 두 사람은 오빠와 동생으로 친하게 지내며 우정을 나누었고 그것은 조금씩 사랑으로 발전해 갔습니다.

그렇다면 슈만의 마음을 훔쳐간 클라라는 누구일까요? 클라라는 모차르트와 같은 천재이자 피아노 신동으로, 당시 신동에 열광하던 분위기의 유럽에서 월드 스타였다고 볼 수 있습니다. 유럽의 여러 나라를 다니며 연주 활동 또한 하고 있었으니 음악가였던 아버지 비크 교수는 딸에 대한 자부심이 이만저만이 아니었지요. 분명 그에게 딸은 엄청난 자랑이었을 것입니다. 그런데 자신의 딸보다 나이도 많고 유명하지도 않으며, 아직 수입조차 변변치 않았던 슈만을 비크 교수가 딸의 짝으로 인정할 수 있었을까요? 비크 교수는 슈만과 클라라의 사이를 반대하게 되고 심지어 둘의 사이에서 유치한 방해 공작을 펼치기도 합니다. 그는 "슈만은 어린 클라라를 유혹하고 월드 스타인 미성년자를 꼬드긴 부도덕한 자다", "슈만은 몸도 허약하고 경제적 능력도 없으니 가족을 부양할 수 없다"라는 소문을 만들어 종이에 적습니다. 그리고 사람들이 모인 공연장에 뿌렸지요. 결국, 클라라는 아버지의 집요한 반대로 슈만과 그동안 주고받은 사랑의 편지들을 모두 돌려주며 눈물의 이별을 고하게 됩니다.

　　클라라에게 이별 통보를 받은 슈만. 그는 비크 교수의 방해 공작을 가만히 보고만 있을 수 없었고, 슈만은 자신과 클라라의 사랑을 지키기 위해 소송을 하게 됩니다. 당시는 21세부터 법적으로 성인이 되어 부모의 동의 없이 결혼할 수 있었는데요. 클라라는 1년 하고도 두 달을 더 있어야 성인이 되는 나이였다고 합니다. 그래서 결국, 부모의 동의 없이 결혼하고자 혼인소송에 들어간 것이지요. '얼마나 급했으면 1년 정도를 못 기다릴까?'라는 생각이 들기도 하지만 한편으로는 '얼마나 사랑했으면 그랬을까?'라는 생각이 들기도 합니다. 결국, 사랑하는 여자의 아버지이자 자신의 스승인 비크 교수와 1년이 넘는 진흙탕 싸움 끝에 법원은 슈만의 손을 들어 줍니다. 이런 웃지 못할 소송 끝에 드디어 결혼에 골인한 두 사람. 그들이 결혼식을 올린 날은 클라라가 성인이 되기 바로 하루 전이었다고 하는데요. 단 하루를 위해 세상을 들썩이게 했던 슈만과 클라라. 그들의 지독한 사랑 이야기는 오늘날까지도 회자되고 있답니다.

이루지 못한 사랑

두 번째 막장 드라마의 주인공은 피아니스트이자 작곡가인 프란츠 리스트입니다. 금발머리에 키가 크고 피아노를 무척 잘 쳤던 그는 연예인만큼 유명했다고 합니다. 그는 유럽 여성들의 마음을 홀딱 빼앗으며 여러 스캔들에 휘말렸던 음악가이지요. 그가 끼고 있는 장갑을 서로 차지하기 위해 여인들이 미친 듯이 싸우기도 했다는 이야기가 있기도 한데요. 그렇다면 리스트는 누구일까요?

　　헝가리 출신의 프란츠 리스트는 피아노 음악에 있어 아주 중요한 업적을 이룬 사람입니다. 그가 가진 현란한 기교는 지금까지도 최고라 여겨지고 있지요. 또한, 콘서트에서 모든 곡을 전부 암기하여 연주함으로써 그 이후 피아니스트들에게도 악보를 외워서 연주하는 것이 전통으로 이어져 오게 되기도 했답니다.

　　피아노에만 업적을 남긴 것이 아니라 시, 소설 등의 문학 작품에서 얻는 느낌을 음악으로 표현하는 교향시Symphonic poem를 만들기도 했는데요. 교향시는 기존 교향곡보다 자유롭고 감성적인 느낌의

표제음악이라고 할 수 있는데, 리스트는 낭만주의 시대를 살면서 그 시대의 모든 감성을 작품에 표현한 작곡가였답니다. 그의 대표적인 작품으로는, 교향시 「전주곡」, 피아노곡 「파가니니에 의한 초절기교 연습곡」, 「시적이고 종교적인 선율」, 「순례의 해」, 「헝가리 광시곡」 등이 있지요.

이렇게 유럽에서 피아노 연주로 인기몰이를 했던 리스트는 자신의 운명을 바꾸는 여인을 만나게 됩니다. 바로 어마어마한 부를 가진 우크라이나 가문의 여성 카롤리네 추 자인 비트겐슈타인 Carolyne zu Sayn-Wittgenstein 공작부인입니다. 그녀가 소유한 농장은 말을 타고 한쪽 끝에서 반대편 끝으로 가기 위해 며칠이 걸릴 정도였다고 하는데요. 그녀의 재산이 얼마나 많았던 건지 가늠되시나요?

카롤리네는 가문끼리 정략결혼을 했던 탓에 결혼 생활이 행복하지 못했습니다. 슬하에 자녀를 한 명을 두었지만, 남편과 사이가 좋지 않아서 별거 중이었지요. 그러던 중 리스트의 연주회에서 그의 연주를 들은 후 리스트를 만나게 되었고 두 사람은 그들의 평생을 뒤흔들게 되는 사랑에 빠지게 됩니다. 이 둘은 동거를 시작하게 되고 카롤리네는 리스트와 사랑에 빠진 후 이혼 소송을 시작하지요. 유부녀라는 이유로 사람들의 비난이 엄청났기에, 당당히 자신들의 사랑을 인정받고자 소송을 진행했던 것이었습니다.

카롤리네는 가톨릭 신자로 결혼하였기에 로마 가톨릭으로부터 이혼허가를 받아야 했는데요. 교황청에서는 무려 13년 동안 그녀의 이혼을 승낙하지 않았습니다. 그리고 카롤리네의 남편인 니콜라우스 공작도 부인의 재산에 욕심이 있었던 탓에 이혼을 동의하는 데에 호락호락하지 않았지요. 리스트가 50번째 생일을 맞이하던 해에 두 사람은 드디어 로마 바티칸으로부터 이혼이 승낙될 것이라는 희망적인 메시지를 받게 됩니다. 그들은 곧 결혼할 수 있겠다는 희망을 얻게 되지요. 이때 리스트와 카롤리네는 얼마나 기뻤을까요? 십여 년이 넘는 시간을 견뎌 그토록 원하는 결혼을 코앞에 두었으니 말이지요. 리스트와 카롤리네는 이혼판결이 나면 로마에서 멋진 결혼식을 올리겠다는 계획도 세웁니다. 하지만 두 사람에게 또 다른 고비가 나타났습니다. 카롤리네가 다른 사람과 결혼을 하게 될 경우, 그녀의 재산권이 자녀에게 돌아가지 못하게 된다는 것이었습니다. 결론적으로 이들의 결혼은 불가하다는 최종 결과가 나오게 되지요. 사랑하는 사람과 결혼을 하기가 이리도 힘든 걸까요?

결국, 두 사람은 모든 것을 받아들이기로 합니다. 그리고 서로는 영원한 정신적 사랑의 동반자로 남기로 하지요. 그 후 리스트는 유명 피아니스트로서 삶을 그만두고 어려서부터 꿈꾸었던 성직자가 되겠다고 결정하는데요. 사실 리스트는 15세에 성직자가 되겠다고 부모님에게 말한 적도 있었다고 합니다. 끝내 리스트는 프란체스코 수도회 로사리오 성모 마리아 수도원에 입회하게 되지요. 그는 수도원에 입회한 후 종교적인 작품들을 작곡하는데요. 산전수전을 다 겪은 리스트가 인생의 허무함을 종교 안에서 위로받았던 것 같습니다.

  그렇다면 리스트의 영원한 사랑 카롤리네는 리스트와 헤어진 후 어떻게 살았을까요? 그녀는 수녀원에 조그만 방을 얻어 평생 봉사와 기도를 하며 살았답니다. 그리고 리스트가 세상을 떠나고 난 후 7개월 뒤, 그를 따라 세상을 떠났다고 알려졌지요. 카롤리네가 세상을 떠나기 전 남긴 유서에는 이런 말이 적혀 있습니다.

  "내 남편 프란츠 리스트, 나에게 깊고 길고 감사한 사랑을 주었다."

  그녀가 그토록 원했던 이름 '카롤리네 리스트'. 살아있는 동안은 그 이름을 가지지 못했지만, 하늘에서는 영원한 리스트의 아내가 되었기를 바랍니다.

클린이를 위한 감상 tip

슈만의 「어린이 정경」 중 '트로이메라이'입니다. 슈만이 어린 시절을 추억하며 작곡한 피아노 작품으로 클라라에게 받은 편지 내용에 영감을 받아 작곡하였다고 해요. 「어린이 정경」은 13곡의 곡들을 모아 놓은 작품집으로 그중 '트로이메라이'는 꿈이라는 뜻을 가졌지요. 이 곡을 들으면 마치 동심의 순수함이 느껴지고 꿈을 꾸듯 따사롭고 행복한 감정이 피어오른답니다.

Classical music

음악 사랑, 나라 사랑

그리그 Edvard Grieg, 1843~1907

파야 Manuel de Falla, 1876~1946

본 윌리엄스 Vaughan Williams, 1872~1958

외국에 여행을 가거나 오래 머무르게 되면 우리나라가 그리워지는 순간이 있습니다. 지나가다 한국 사람을 보거나 애국가만 들어도 눈물이 나는 경험은 누구에게나 한 번쯤은 있을 텐데요. 저 또한 미국 유학 시절에 한인 타운에 있는 태극기만 봐도 가슴이 울리며 뜨거운 감정이 피어올랐던 적이 있지요.

이렇게 자신의 나라, 고향을 사랑하고 그리워하며 음악 속에 애국심을 담았던 작곡가들이 있답니다. 19세기 후반, 자신의 나라 민족성을 담아 민족 특유의 음악적 색깔을 나타내는 작품이 등장하였고 이런 작품을 쓰는 작곡가들을 국민주의, 또는 민족주의 작곡가라는 새로운 음악사조*로 불렀지요.

이번 편에서는 음악을 사랑한 만큼 조국을 무척이나 사랑했던 작곡가들에 대해 알아보고자 합니다.

---

* 국민주의음악(nationalism in music) : 19세기 프랑스 2월 혁명의 영향으로 유럽에서 자신의 나라에 대한 권리를 주장하는 운동이 일어났고, 그 운동을 음악에 담아 표현한 것을 말한다.

노르웨이

북유럽의 노르웨이를 생각하면 환상적인 오로라가 떠오릅니다. 이 곳은 많은 여행객이 꼭 한번 가고 싶어 하는 나라 중 하나로 꼽히고 있는 곳인데요. 광고 음악이나 드라마 또는 영화음악의 배경으로 자주 등장하는 음악 중「솔베이지 노래」라는 작품이 있습니다. 이 곡을 듣고 있으면 바로 이 북유럽의 낭만이 물씬 느껴지지요. 이 곡을 작곡한 작곡가는 바로 노르웨이의 특유한 민족성을 음악으로 담아낸 작곡가, 에드바르드 그리그입니다.

그리그는 노르웨이의 클래식 음악 대표 작곡가로 인정받아, 나라가 주는 훈장을 받기도 했습니다. 그는 어려서부터 어머니에게 피아노를 배웠고 음악가가 되고자 하는 꿈을 꾸었는데요. 꿈을 실현하기 위해 고향 노르웨이를 떠나 독일과 이탈리아에서 음악공부를 하였고, 이후 덴마크로 가서 음악 활동을 이어갔습니다.

덴마크에서 활동하는 동안 그리그는 자신의 음악 세계에 영향을 주는 사람들을 만나게 되는데요. 특히 같은 나라 출신의 작곡가 노드라크Nordraak를 만나 민족음악의 중요성을 배우게 됩니다. 그 영향으로 그리그는 노르웨이 음악만으로 이루어진 음악회를 주최하기도 했지요. 이 시기에는 '바이올린 소나타 1번'과 그가 남긴 유명하고도 유일한 '피아노협주곡 A단조'가 작곡되었는데요. 노르웨이 민족의 혼이 담긴 곡이라는 극찬을 받기도 했답니다.

그리그의 조국인 노르웨이는 1536년 덴마크로부터 300년 가까이 지배를 받았고, 1814년부터는 스웨덴의 지배를 받았습니다. 그리고 1905년이 되어서야 독립한 나라인데요. 그가 살았던 시기는 끊임없이 자신의 나라에 대한 권리와 자유를 추구하려는 열망이 더욱 커질 수밖에 없었던 시기였지요. 그리그는 이러한 국민의 마음을 대변하여 음악으로 표현했습니다. 사람들이 서로 의지하며 용기를 갖고 끊임없이 자유를 찾는 투쟁을 할 수 있도록 음악으로 격려한 것이지요.

그리그의 작품목록에는 「홀베르그 모음곡」 op.40, 「페르귄트」 모음곡 1번과 2번, 3개의 바이올린 소나타, 25개의 '노르웨이 민요'와 '춤곡' op.17, 「오래된 노르웨이 멜로디에 의한 변주곡」 op.51, 「노르웨이 농민 춤곡」 op.72 등이 있는데요. 그 중에서도 그가 그의 대표작 「페르귄트」 모음곡(1875년 작곡)은 노르웨이 극작가 헨릭 입센Henrik Ibsen의 극 〈페르귄트〉*에 멜로디를 붙인 작품으로 민속적이면서 로맨틱한 느낌을 물씬 느낄 수 있습니다. (모음곡 중 '아침의 노래', '솔베이지의 노래', '아니트라의 춤' 등이 잘 알려진 작품.)

그리그가 남긴 유언은 많은 자료에서 찾아볼 수 있습니다.

---

* 페르귄트(Peer Gynt) : 방황하던 페르귄트가 고향에 돌아와 아내 솔베이의 사랑과 용서로 구원을 받는다는 희곡으로, 모두 5막으로 구성되어 있다.

"Well, if must be so." 직역하면 "뭐, 이래야 한다면"이라는 뜻이지요. 우리는 살면서 뜻하고 원하는 것을 할 때도 있지만 그렇지 않은 경우가 훨씬 많습니다. 하지만 불편하고 하기 싫고 어려운 일들도 조금만 생각을 바꾸면 잘 대처할 수도 있지 않을까요? 그리그가 남긴 유언을 빌려서 "뭐 한번 해보자고요!" 쿨하게!

스페인

스페인을 생각하면 정렬의 빨간 드레스를 입은 아리따운 여성이 한 손에 캐스터네츠를 치며 플라멩코를 추는 모습과, 해가 져도 음악들이 넘쳐나는 로맨틱하고 달콤한 감성의 거리가 떠오릅니다. 이런 스페인에도 자신들의 민족성을 담아 나라 사랑을 음악으로 표현한 작곡가가 있는데요. 20세기 스페인을 대표하는 작곡가 마뉴엘 드 파야를 만나볼까요?

작곡가 파야는 스페인 마드리드의 국립음악학교에서 피아노와 작곡을 공부하였습니다. 그리고 프랑스에서 유학 생활을 보냈지요. 그는 그 당시 프랑스의 유명 작곡가인 라벨, 드뷔시, 스트라빈스키 등과 교류하면서 음악적 스펙트럼을 넓혔습니다. 그리고 스페인으로 귀국하여 그의 대표작품인 「스페인 정원의 밤」과 화가 피카소와 함께 작업한 발레곡「삼각모자」등을 발표하며 활발하게 활동했지요.

　　파야는 스페인 사람들이 즐겨 부르던 전통 민요를 가지고 클래식을 작곡하는데요. 그의 대표작인 '7개의 스페인 민요'는 스페인 각 지방의 대표 민요를 바탕으로 한 것으로, 그 지방의 사투리를 그대로 가사에 사용했다고 합니다. 파야의 자유롭고 꿈을 꾸는 듯한 작곡기법으로 기존의 민요는 새로운 느낌으로 재창조되었지요. 또한, 파야는 스페인 민속 음악을 위해 스페인 민요협회를 설립하고 스페인 음악 연구소에서도 일했다고 합니다.

　　우리나라에도 민요가 있습니다. 민요는 삶을 살아가는 서민들의 감정과 생각을 표현한 노래가 입에서 입으로 전해진 것이지요. 그래서 민요는 그 시대의 모습이 가장 잘 담겨있는 음악이랍니다. 이처럼 파야는 스페인의 전통적인 소재를 사용하여 그 민요를 현대적인 분위기로 변화시켰고 높은 수준의 음악으로까지 급부상시킨 작곡가이지요. 그래서 그는 스페인의 민족주의 작곡가로 기록되어 있답니다.

영국

영국을 대표하는 클래식 작곡가는 누구일까요? 오스트리아, 이탈리아, 프랑스, 독일 출신의 작곡가들을 물으면 금방 누군가가 떠오르지만, 영국 출신의 클래식 작곡가는 쉽게 떠오르지 않지요. 사실 영국 출신의 클래식 작곡가는 그리 많지 않습니다. 17세기 영국의 모차르트라고 불렸던 헨리 퍼셀Henry Purcell(영국의 최초 오페라 「디도」와 「아이네이아스」 작곡)과 영국 출생은 아니지만, 독일에서 태어나 영국에서 활동하였던 작곡가 헨델 정도가 떠오르네요. 그런데 영국의 작곡가 중에도 자신의 나라를 매우 사랑하여 전통적으로 전해 내려오는 민속 음악들을 열심히 모았던 작곡가가 있습니다. 그는 총 800여 개의 민요를 수집하여 작품집으로 출판하였지요. 바로 1차 세계대전이 일어났을 때 40세가 넘는 나이에도 나라 사랑의 마음으로 군대에 자원했던 작곡가, 본 윌리엄스입니다.

본 윌리엄스는 영국 고유의 음악적 색깔을 표현하기 위해 영국의 민속 음악들에 관심을 두게 됩니다. 당시 클래식 음악을 주도한 독일이나 프랑스, 이탈리아의 음악과 차별성 있는 음악을 만들고 싶었기 때문이었지요.

〈종의 기원〉이란 책을 쓴 찰스 로버트 다윈Charles Robert Dawin은 인간도 다른 동물처럼 자연의 일부라고 주장했는데요. 이는 인간이 만물의 영장이라고 생각했던 시절에 엄청난 파장을 불러일으켰지요. 이 다윈의 외손주가 바로 본 윌리엄스랍니다. 그는 점점 잊혀가는 영국의 민요들을 찾아서 자신의 음악 세계로 재창조하였습니다. 그리고 영국 역사 속의 인물들을 소재로 작품을 작곡하였지요. 또한, 튜더 왕조Tudor Dynasty(1485-1603의 영국 왕조)의 교회음악을 연구하기도 하였답니다.

그의 대표작품으로는 5개의 '튜더 왕조의 초상', 3편의 '셰익스피어 가곡', 「런던 교향곡」, 「토마스 탈리스 주제에 의한 환상곡」, 「사랑에 빠진 존경」 등이 있습니다.

애국심을 가지고 자신이 태어난 나라의 전통 음악을 수집하여 연구했던 작곡가들. 전통 음악을 세련된 현대 음악으로 표출한 이들을 만나보았는데요. '역사를 잊은 민족에게 미래는 없다'라는 말이 생각납니다. 아무리 시대가 급변해도 우리의 것을 지키고 보전하여 미래에 그 가치를 잘 알려주는 것이 우리가 해야 할 일이 아닌가 다시 생각하게 되는 시간이었습니다.

Classic For You

✻ **Grieg**
  ♪ 「페르귄트」 모음곡 1번 op.46 '솔베이지의 노래'
  ♪ 현악 합주 「홀베르그」 모음곡 op.40
  ♪ 바이올린 소나타 3번 C단조 op.45

✻ **Falla**
  ♪ 오페라 「허무한 인생」 중 '스페인 무곡' 1번

✻ **Vaughan Williams**
  ♪ 바이올린과 실내악을 위한 「종달새는 날아오르고」

Classical music

작곡가들의 특별한 취미

로시니 Gioacchino Antonio Rossini, 1792-1868

드보르작 Antonin Leopold Dvořák, 1841-1904

베토벤 Ludwig van Beethoven, 1770-1827

바흐 Johann Sebastian Bach, 1685-1750

우리의 삶 속에서 직업 외에 자신이 좋아하는 무언가를 할 수 있다는 것은 살아가는 데에 큰 활력소가 되는 것 같습니다. 클래식 작곡가들 또한 음악 외의 무언가에 푹 빠져, 작곡가란 직업의 스트레스를 날리곤 했지요. 이런 취미 활동 덕분에 그들은 더욱 아름다운 곡들을 만들 수 있었답니다. 그래서 이번 편에서는 음악 외의 취미생활에 푹 빠졌던 작곡가들의 이야기를 알아보고자 합니다.

취미가 직업이 된 로시니

이탈리아의 오페라 작곡가 조아키노 안토니오 로시니는 자신이 작곡한 모든 오페라를 성공시켜 큰돈을 벌었고 엄청난 유명세 또한 얻었던 작곡가입니다. 그는 트럼펫 연주자였던 아버지의 영향을 받아 어려서부터 노래, 하프시코드, 첼로 등을 배우며 자연스럽게 음악을 접할 수 있었는데요. 그 덕분에 20세도 채 되지 않았을 때 작곡한 작품이 경연대회에 나가 수상을 하기도 했답니다. 심지어 오페라 「세빌리아 이발사」, 「오텔로」는 엄청난 성공을 하며 그의 이름을 오스트리아의 빈까지 알리게 해주었고, 오페라 「윌리엄 텔」은 이탈리아, 빈, 파리, 영국까지 진출하여 유럽 곳곳의 오페라 극장에 로시니의 작품이 울려 퍼지기도 했답니다.

그의 오페라들은 주로 재미와 웃음을 주는 멜로디의 희극 오페라였는데요. 이렇게 개성 있는 자신만의 음악으로 대성공한 로시니는 돌연 작곡을 그만둡니다. 그 이유는 바로 그의 취미 생활 때문이었지요.

로시니는 작곡하지 않을 때는 주로 음식 만들었습니다. 그가 만든 요리를 맛본 사람들은 모두 로시니의 요리를 극찬했지요. 음식을 만드는 것도 좋아했지만 식재료에도 관심이 많았던 로시니. 그는 특히 송로버섯(트러플)을 좋아했는데요. 돼지가 땅속에 있는 송로버섯을 잘 찾는다고 하여 직접 돼지를 기를 정도였다고 합니다. (이탈리아 전통음식점에 송로버섯요리는 로시니라는 이름이 많이 붙여져 있음.)

　　　자신의 취미를 본격적으로 해 보겠다고 선언하며 작곡가의 삶을 그만 둔 로시니. 그는 남은 인생을 자신이 사랑했던 요리와 함께 아주 맛있게 보냈답니다. 게다가 그는 직접 신메뉴를 만들기도 했지요. 덕분에 지금도 이탈리아에는 로시니라는 이름이 붙여진 요리들이 있습니다. 그리고 로시니의 이름을 붙인 요리대회도 있다고 하네요.

　　　그의 음악을 들으면 기분이 유쾌하고 행복해지는데요. 음악뿐만 아니라 그의 요리도 입안에서 기쁨과 만족을 주었을 것 같습니다.

기차 홀릭 드보르작

다음은 체코의 작곡가 안토닌 레오폴드 드보르작에게 어떤 별난 취미가 있었는지 알아봅시다.

　　　드보르작은 체코 프라하 음악원에 입학해서 작곡 공부는 물론 오르간과 비올라 연주까지 배우게 됩니다. 그는 체코에서 활발하게 음악 활동을 했고 영국과 러시아를 방문하며 연주 여행 또한 다녔는데요. 영국의 케임브리지 대학에서 명예박사 학위까지 받았답니다.

　　프라하 음악원에서 교편을 잡고 있었던 그는 미국의 뉴욕 내셔널 음악원의 원장으로 부임해달라는 제의를 받게 되었습니다. 덕분에 미국에 3년간 머물며 음악 활동을 하게 되었지요. 미국으로 온 그는 미국 원주민의 노래와 흑인 영가 등 고유의 음악에 관심을 가집니다. 그리고 고향 체코를 생각하는 애틋한 마음으로 현악 4중주 '아메리카', 교향곡 '신세계로부터' 등을 작곡하지요. 이후 다시 고향에 돌아온 드보르작은 체코에 머물며 체코 음악의 발전에 주력하고 프라하 음악원의 원장으로 일하면서 체코를 대표하는 클래식 음악 작곡가가 되었답니다.

　　그럼 드보르작의 취미는 무엇이었을까요? 그는 증기 기관차의 열렬한 팬으로, 8세 때부터 동네를 지나는 기차의 모습을 보기 위해 철도 옆에서 기다렸다고 합니다. 성인이 되어서도 그의 기차 사랑은 멈추지 않았는데요. 일 때문에 너무 바빠서 기차를 보러 갈 수 없을 때는 제자를 보내서 기차가 정시에 잘 도착했는지 확인해 달라고 했을 정도였다고 합니다.

　　이렇게 매일같이 기차를 보러 갔던 드보르작. 하루는 기차의 기적 소리가 이상해 철도청에 연락한 적이 있다고 합니다. 그런데 정말로 기차에 문제가 있었던 것이지요. 음악가의 예민한 귀와 기차 사랑이 기차의 결함까지도 알아낼 수 있었던 것입니다.

현재 빈과 프라하에는 '안토닌 드보르작 호'라고 불리는 특별 열차가 운행되고 있습니다. 혹시 이곳을 여행하게 된다면 드보르작의 음악을 들으며 열차를 타 보는 것은 어떨까요?

커피 홀릭 베토벤과 바흐

17세기 유럽에서는 커피 열풍이 불었습니다. 당시 커피는 귀족이나 지성인들에게 아주 인기 있는 음료였지요. 작곡가들은 커피의 카페인 덕분에 밤늦게까지 잠을 자지 않고 작곡을 할 수 있었을 텐데요. 그 덕분에 지금까지 사랑받는 명곡들이 탄생할 수 있었던 것이 아닐까라는 생각이 듭니다.

우리가 잘 알고 있는 베토벤은 커피를 마실 때에도 음악을 할 때처럼 완벽함을 추구했다고 합니다. 그는 모닝커피로 정확히 60알의 원두를 사용했다고 하네요. 현대의 에스프레소 기계로 한잔의 커피를 추출하기 위해서도 55알에서 65알 정도의 원두가 필요합니다. 베토벤의 커피와 정확히 일치하지요.

음악의 아버지라고 불리는 바흐는 커피를 너무 좋아하다 못해 작품까지 썼다고 합니다. 바로 「커피 칸타타」BWV.211가 그것이지요. 이 곡은 커피를 지나치게 좋아하는 딸과 이런 딸을 못마땅하게 생각하는 아버지의 이야기를 가사로 만든 재미난 작품인데요. 딸이 부르는 노래 가사를 보면 '커피는 키스보다 달콤하고 와인보다 부드럽고 나를 너무 행복하게 한다네'라는 구절이 있답니다. 나를 행복하게 해주는 커피라니, 왠지 갑자기 커피 한잔이 마시고 싶어지는 것 같네요.

클린이를 위한 감상 tip

 드보르작의 「유모레스크」op.101입니다. 유모레스크란 19세기에 많이 연주되었던 가볍고 유머러스한 기악곡인데요. 율동감 있는 리듬이 특징이며 부드러운 선율과 우아한 느낌을 가진 작품이랍니다.

혁명의 작곡가

베토벤 Ludwig van Beethoven, 1770–1827

슈만 Robert Alexander Schumann, 1810–1856

클래식 음악은 몇백 년 전 유럽 사람들이 가장 즐기고 좋아했던 음악이 었습니다. 덕분에 오랜 시간 동안 그 시대의 삶의 모습이 음악으로 표현되어 있는데요. 클래식이 당시의 역사적 순간들에도 함께했기 때문에 사람들이 느끼는 생각과 감정들을 음악 안에 예술로 승화시켜 담아낼 수 있었던 것이 지요.

　유럽에서는 18세기 후반에 세계적으로 영향을 끼친 중요한 사건이 일어났습니다. 바로 프랑스 대혁명1789-1794이지요. 인본주의와 계몽주의를 바탕으로 한 이 혁명은 프랑스 시민의 자유와 권리를 주장했던 시민 혁명이 었는데요. 이 혁명은 귀족 중심의 사회를 붕괴시킨 것으로 유명합니다. 또한, 당시의 혁명 정신이 여러 나라에 영향을 주기도 했답니다. 프랑스 혁명 이후에는 반혁명이 일어났고 그 이후 또다시 혁명이 일어납니다. 유럽은 이런 혁명의 시기들을 지나왔는데요. 혁명의 소용돌이에서 음악으로 투쟁하며 그 시대를 살아간 작곡가들이 있습니다.

혁명의 작곡가 베토벤

프랑스 혁명 이후 어수선했던 프랑스에 혁명 당시 군인이었던 나폴레옹이 등장하며 황제가 됩니다. 프랑스는 이 시기를 거치며 국민의 기본적 인권을 보장하기 위해 통치 및 공동체의 모든 생활이 헌법에 따라 이루어져야 한다는 입헌정치를 시작하게 되는데요. 다시 말해 자유와 평등을 추구하는 민주적인 사회가 된 것입니다.

　　나폴레옹이 황제가 된 후로 혁명의 소용돌이는 점점 가라앉게 됩니다. 그리고 혁명을 이끌었던 계몽주의자들은 모두 낭만주의자Romanticist가 되지요. 개성과 감정을 중요시하는 낭만주의는 권력에 힘차게 저항했던 최초의 예술사조로 기록되었습니다.

　　이후 이 혁명의 사회에 신분 계급의 변화가 찾아옵니다. 이 변화의 가장 큰 이유는 바로 돈이었지요. 상업과 제조업이 급속도로 발전하면서 상인과 자영업자, 즉 시민계층이 많은 돈을 벌어들였는데요. 그들은 소유지에 의존했던 영주들을 몰락시켰고 돈으로 권력을 사기도 했습니다. 그리고 몰락한 귀족들은 어떻게든 돈 많은 시민계급과 결혼을 해서 살아남고자 발버둥쳤지요.

　　혈통으로 이어오던 귀족 사회가 더는 이어질 수 없게 되었습니다. 이후 많은 돈을 번 시민 계급, 즉 신흥 부자들은 예술에 눈을 돌려 문화 발전에 힘쓰게 되는데요. 연주와 출판 단체들을 세우기도 하고 시민이 함께 즐길 수 있는 콘서트장(1781년 부유한 상인들이 만든 독일

라이프치히의 '게반트 하우스')을 짓기도 합니다. 이 시대의 떠오른 영웅 같은 작곡가가 바로 루트비히 판 베토벤이랍니다.

　　베토벤은 이 혁명의 시기에서 음악가의 위상을 존경받았고 작곡가라는 직업만으로도 존중받으며 살았던 사람이었습니다. 그는 오스트리아 본Bonn에서 태어난 작곡가로 클래식 음악사에서 손꼽히는 유명 작곡가 중 한 사람인데요. 그의 할아버지도 아버지도 모두 궁정에 소속된 음악가였답니다. 음악 가문에서 태어나고 자란 베토벤은 음악에 남다른 재능을 보였고 그의 아버지는 아들 베토벤을 혹독하게 교육했다고 합니다. 그 당시 유럽은 모차르트의 천재 신드롬에 열광했는데요. 베토벤의 아버지 역시 그를 모차르트처럼 신동으로 만들고자 했습니다. 그의 아버지는 그를 음악회에 내보낼 때, 베토벤의 나이를 한 살이라도 어리다고 거짓말을 하기도 했지요.

　　베토벤은 음악교육을 받고 성장하다가 빈에서 하이든을 만나 작곡을 배웠습니다. 그리고 다른 작곡가들의 음악을 듣고 독학을 하며 자신만의 음악 세계를 완성해 나갔지요. 베토벤은 피아노 연주를 하며 즉흥 연주로 많은 사람을 깜짝 놀라게 했는데요. 점점 베토벤을 음악가로 후원하겠다는 귀족들이 생겨나기도 했습니다. 덕분에 그는 경제적 어려움 없이 작품 활동을 이어나갈 수 있었습니다.

　　우리는 베토벤을 청력을 상실한 작곡가라고 알고 있는데요. 실제로 그는 어려서부터 앓았던 귓병이 점점 심해져, 결국에는 단 하나의 소리도 듣지 못하게 되었다고 합니다. 베토벤을 성인이라고 부르는 이유 또한 그것과 관계가 있지요. 그는 청력을 상실하였지만, 자신의 삶을 절대 포기하지 않고 고통과 아픔을 예술작품으로 승화시킨 사람이었기 때문입니다.

베토벤을 혁명의 작곡가라고 할 수 있는 이유는 두 가지인데요. 첫 번째로 베토벤은 하이든과 모차르트 등 이전 작곡가들의 기법과 스타일을 잘 정리하여 자신만의 독자적인 행보로 발전시켰다는 것입니다. 그의 내면적인 고통이 작품에 깊이 새겨져 지금껏 볼 수 없었던 음악의 구조와 형식들을 만들어 냈기에 가능했던 것이지요. 이러한 그의 음악은 앞으로 다가올 새로운 사조(낭만주의)로 연결됩니다. 그는 이후 모든 작곡가가 롤 모델로 삼는 불멸의 작곡가로 클래식 음악사에 기록되기도 했지요.

두 번째는 신분과 관련되어 있습니다. 베토벤 이전의 유명 작곡가 하이든은 귀족 궁전에 취직하여 평생 귀족들을 위한 음악을 작곡하고 연주했습니다. 그는 당시의 하인과 같은 위치였지요. 그리고 베토벤보다 14년 먼저 태어난 천재 작곡가 모차르트 또한 역시나 귀족 사회에서 구속받는 작곡가였습니다. 구속을 벗어나기 위해 몸부림쳤지만, 당시 사회는 그들을 받아들일 준비가 되지 않았었지요. 하지만 베토벤은 달랐습니다. 그는 귀족 출신과 친구로 지냈고 심지어는 귀족에게 심부름을 시키기도 했다는 일화가 있지요. 작곡 또한 귀족들이 시켜서 하는 것이 아니라, 자기가 원할 때 떠오르는 감정과 생각들을 담아 작곡했답니다. 이러한 이유로 베토벤은 음악가의 위상에 혁명을 이루며 살았던 작곡가로 불리는 것이지요.

혁명의 작곡가 슈만

나폴레옹 1세는 황제가 되고 난 후 권력에 대한 지나친 욕심을 품고 여러 나라를 무력으로 침략합니다. 그리고 1812년 러시아로 원정을 떠나 참패를 당하지요. (차이콥스키는 이때 러시아 승리의 역사를 기쁨으로 표현한 「1812년」 서곡을 작곡함.) 그리고 나폴레옹을 견제하는 영국, 오스트리아, 프로이센, 러시아군이 프랑스를 점령하기도 합니다. 그는 결국 위털루 전쟁에서 패하여 항복하게 되는데요. 이 시기에 오스트리아의 빈에서 메테르니히를 중심으로 한 유럽 연합군들이 동맹을 맺고, 프랑스 대혁명 정신에 반대하는 반혁명을 일으키게 됩니다. 이때 다시 절대 왕정이 부활하게 되지요. 그 때문에 시민의 자유와 권리가 탄압받게 됩니다. 그리고 1819년 '카를스바트 결의'라 불리는 자유 탄압 결의가 이뤄지고 프랑스에는 또다시 혼란이 찾아오지요.

프랑스에서는 혁명 당시 단두대에서 사라진 루이 16세의 동생 샤를 10세가 왕으로 등극합니다. 그는 입헌정치를 반대하며 절대 왕정의 시대로 돌아가려 했지요. 이때 또다시 유럽에서 혁명이 일어나는데요. 바로 프랑스 7월 혁명입니다.

당시 애국주의적 학생 단체인 대학생 학우회와 대립 중이던 독일에서는 이 7월 혁명의 정신을 이어받아 자유와 민주를 외치는 문학 운동인 청년 독일 운동이 생겨납니다. 이 운동은 독일의 시인인 하이네Heine, 1797-1856를 중심으로 시작되었는데요. 당시 이 모임에 가입한 클래식 작곡가가 있었답니다. 바로 로베르트 알렉산더 슈만이지요.

슈만은 어렸을 적부터 책 읽기를 무척 좋아했다고 하니, 그가 모임에 가입한 것은 이상한 일이 아니었습니다. 슈만은 청년 독일 운동의 정신으로 보수적인 속물적 예술가를 비판하며 음악 풍토를 바로 잡겠다고 다짐합니다. 그래서 다비드 동맹을 만들고 이 정신을 구체화하기 위해 음악잡지인 음악신보Neue Zeitschrift Für Musik를 발간하는 편집장이 됩니다.

"우리 예술가들은 수천 번에 걸친 지난 세기와의 투쟁을 통해 시대의 속박에서 벗어나야 할 사명이 있다."

－로베르트 알렉산더 슈만

우리는 작곡가들이 단지 음악적 재능이 뛰어난 덕에 훌륭한 작품들을 작곡했던 음악가일 뿐이라 생각했는데요. 그들은 작곡가였을 뿐만 아니라, 음표를 통해 진정한 사회의 모순과 불합리에 맞서며 당당히 시대와 소통했던 용감한 혁명가였던 것입니다.

2020년을 살아가는 우리는 현재 코로나19라는 바이러스 탓에 온 인류의 삶에 혼란과 변화를 맞이했습니다. 문화 공연계는 큰 타격을 받고 아주 힘든 시기를 보내고 있지요. 공연들은 모두 취소되고 연기되었으며, 공연계에 있는 사람들은 삶의 자리가 불안한 하루하루를 보내고 있는 시기입니다.

그러나 이전의 많은 클래식 작곡가들은 희로애락이 있는 시대를 살며 자신의 음악으로 시대를 대변하고 이겨냈습니다. 그들처럼 우리 또한 코로나19 시대를 극복하고 이겨내는 혁명을 일으켜, 이 어려운 시대를 살아가는 혁명가로 음악사에 기록되었으면 좋겠습니다.

Classic For You

＊**Beethoven**
♪ 바이올린 소나타 5번 '봄'
♪ 교향곡 5번 '운명' 1악장
♪ 교향곡 7번 2악장

＊**Schumann**
♪ 「아라베스크」op.18
♪ 3개의 「로망스」op.28

클래식 바로 알기

무엇이든 물어보세요

음악의 뿌리를 찾아서

악보에 표기된 용어를 알아볼까요?

오페라 이야기

마에스트로, 지휘자는 누구인가?

Classical music

무엇이든 물어보세요

　한 가지 분야에 관심을 가지다 보면, 수많은 궁금증이 생기기 마련입니다. 클래식에 입문하고자 하는 분들 또한 마찬가지일 텐데요.
　이번 편에서는 클래식에 대한 여러분의 궁금증을 해결하는 Q&A 시간을 가져보고자 합니다. 클래식 감상 시 지켜야 할 간단한 예의부터 사소한 궁금증까지. 입문자들이 가장 많이 궁금해하는 질문으로 준비했으니, 이 시간으로 인해 클래식이 여러분에게 한층 더 흥미롭게 다가갈 수 있길 바랍니다.

Q. 클래식 공연을 보러 간 적이 있어요. 연주가 끝나면 박수를 보내야 할 것 같은데, 아무래도 잘 모르는 곡들이다 보니 도대체 연주가 언제 끝나는 건지 가늠이 되지 않더라고요. 괜히 잘못 손뼉을 쳤다간 망신만 당할 것 같아요. 적절한 타이밍 좀 알려주세요!

A. 언제 박수를 보내야 하는 건지 고민하지 마세요! 손뼉은 주변 사람들이 치기 시작할 때 함께 치면 된답니다!

보통 다악장 곡은 악장이 끝날 때마다 박수를 보내지 않아요. 한 악곡이 모두 끝났을 때 박수를 보내면 된답니다. 하지만 오페라 공연의 경우에는 남녀 주인공들이 멋지게 아리아를 부르고 나면, 공연 중간에 박수를 보내기도 합니다. 이때 연주자들은 관객들에게 인사로 답례하지요. 공연을 보기 전에 해당 공연의 정보 검색을 통해, 연주될 예정의 곡을 미리 알아보고 가는 것도 좋은 방법이에요. 구체적인 정보가 아니더라도, 간단한 배경과 해당 곡의 분위기 정도만 알아둔다면 '아, 저 곡은 이런 느낌이었지!', '이 곡은 이런 배경을 가졌다더니. 정말 그런 느낌이 나네!' 하며 여러분만의 감상 포인트를 찾을 수도 있을 거예요.

Q. 오케스트라 공연을 보러 갔는데 오케스트라 단원들이 모두 검은색 정장을 입었더라고요. 혹시 다른 색깔의 의상은 입을 수 없는 건가요?

A. 한 무대에 오른 30명 이상의 연주자들이 모두 다른 색의 의상을 입었다고 상상해 볼까요? 아무래도 시선이 무척 분산될 것 같아요. 더불어 음악감상에 집중도도 떨어질 것이고요. 연주자들의 모습과 아름다운 연주를 눈과 귀로 함께 즐기는 오케스트라에서는 음악감상의 집중도를 높이기 위해 연주자들의 의상 색을 통일하고 있답니다. 그러나 물론 예외도 있지요. 큰 파티처럼 화려한 분위기의 공연에서는, 여성 단원들이 다양한 색상의 드레스를 입고 공연의 분위기를 고조시키기도 한답니다.

Q. 절대 음감이 무엇인가요? 음악을 전공하는 사람들은 다 절대 음감인가요?

A. 어떤 노래를 들었을 때, 음의 높이에 따른 음이름을 정확하게 인지하는 것을 절대 음감이라고 해요. 절대 음감은 선천적으로 타고나기도 하지만, 훈련을 통해 후천적으로 얻을 수도 있답니다. 그러나 음악을 전공하는 사람들이 모두 절대 음감을 가진 것은 아니에요. 유명한 음악가 중에도 선천적으로 절대 음감을 가진 이들이 있었지만, 노력을 통해 그것을 얻어낸 사람들도 있다고 하네요. (ex. 슈만, 바그너)

Q. 같은 클래식 곡이라도 연주자에 따라 곡에 차이가 생긴다고 하더라고요. 분명 같은 곡인데 왜 이런 차이가 생기는 건가요?

A. 클래식 음악은 300년이 넘는 오랜 전통을 가졌어요. 이토록 오래된 옛날 음악이 지금까지도 사랑받을 수 있는 이유는 바로 연주자들 덕분인데요. 같은 곡이라도 연주자마다 느끼는 감정이 다르므로, 누가 연주하느냐에 따라 모두 다른 느낌을 전달해 주기 때문입니다.

모든 음악에는 그 시대의 정서가 표현되어 있지요. 연주자들은 악보 속에 숨겨진 함축된 정서를 자신만의 생각과 감정으로 풀어낸답니다. 이것을 바로 한 곡으로도 다양한 감상을 만들어 낼 수 있는 '곡의 해석'이라고 하는데요. 연주자마다 삶의 경험과 경험에서 느낀 감정이 모두 다르므로, 같은 곡을 바라보는 생각 또한 다를 수밖에 없는 것이랍니다.

하지만 가장 중요한 것은 곡을 작곡한 작곡가의 의도겠지요. 연주자들 역시, 작곡가의 의도를 가장 기본으로 생각하고 해석한다는 점! 기억해 두면 좋을 것 같습니다.

Q. 연주자들은 공연에 오르기 위해 얼마만큼의 연습을 하나요?

A. 제가 참 많이 받는 질문 중 하나예요. 이 질문을 받으면, 대학 시절 학교 수첩의 맨 앞에 쓰여 있던 글귀가 생각납니다.

'하루 연습을 하지 않으면 내가 알고, 이틀 연습을 하지 않으면 평론가가 알고, 삼일 연습을 하지 않으면 청중이 안다.'

이 글귀에서 알 수 있듯 음악가들은 하루도 연습을 게을리하면 안 되는데요. 그러나 연습을 하는 시간은 연주자마다 개인의 차이가 있을 수 있답니다. 예를 들어 성악가나 관악기 연주자의 경우, 호흡과 성대보호를 위해 다른 악기의 연주자들보다 잦은 휴식이 필요하겠지요.

따라서 정해진 연습시간은 없으나, 기술적인 능력을 습득하기 위해 수많은 반복 연습과 음악을 표현하기 위한 노력, 악보 암기 등 연습해야 할 것들이 많기에 연습시간은 당연히 길어질 수밖에 없는 것 같아요. 덧붙이자면, 저는 연주 일정을 앞두고는 하루 24시간 중 적어도 6시간은 집중적인 연습을 하려고 노력한답니다.

Q. 초등학교 2학년 딸을 둔 아빠입니다. 전공까진 아니더라도 취미로 아이들에게 바이올린을 배우게 하고 싶은데요. 바로 시작해도 괜찮을까요?

A. 바이올린이나 비올라, 첼로, 콘트라베이스 같은 현악기를 먼저 시작하는 것보다는 피아노를 먼저 배워보는 것을 추천해 드려요. 현악기들은 악기의 어느 부분을 눌러야 정확한 음정의 소리가 나는지 표시되어 있지 않거든요.

연주자들이 느낌으로 음정을 찾아야 해서 음에 대한 정확한 인지 없이는 시작하기 어려운 악기랍니다. 덧붙여 기타 같은 경우에는 플랫이라는 음을 눌러야 하는 지점에 표시가 있지만, 바이올린과 같은 현악기에는 이 표시 또한 없지요. 그래서 바이올린은 음정 공부를 어느 정도 한 후에 시작하는 것이 바람직하다고 생각합니다.

여러분도 음악을 전공하진 않더라도 악기 하나 정도를 다루며 즐길 수 있다면, 삶의 활력소가 될 수도 있지 않을까요?

Q. 흔히 음악의 아버지는 '바흐', 어머니는 '헨델'이라고 이야기하잖아요. 이 두 작곡가가 음악의 아버지, 어머니로 불리는 이유는 무엇인가요?

A. 사실 미국과 유럽에서는 음악의 아버지를 바흐, 음악의 어머니를 헨델이라고 부르지 않아요. 작곡가의 음악적 성향과 특이한 점들로 사람들이 기억하기 쉽게 부르는 것이지요.

바흐나 헨델은 바로크 음악의 양대산맥이라는 이유로 아버지, 어머니로 불리는 것인데요. 바흐는 음악의 구조와 형식을 완성한 작곡가니 아버지로, 헨델은 바흐의 음악보다 선율적이고 부드러운 음악을 많이 작곡하였기에 어머니로 기억한답니다.

Q. 오페라와 클래식은 무슨 관련이 있나요?

A. 클래식 음악은 유럽에서 몇백 년 동안 유행했던 여러 시대의 음악 전체를 통틀어 말하는 것인데요. 오페라는 클래식 음악 안에 있는 다양한 음악 장르 중 하나입니다. 오페라에 관한 자세한 이야기는 뒤에 나올 '오페라 이야기' 편에서 자세히 다루고 있답니다.

Q. 유명한 클래식 음악을 들어보면 대부분 가사가 없더라고요. 원래 클래식은 가사가 없는 음악인가요?

A. 클래식 음악의 역사는 교회음악에서 찾아볼 수 있는데요. 그 당시 사람들은 사람의 목소리로 하느님을 찬양하는 음악이 가장 거룩하다고 생각했지요. 그러다가 악기로 연주하는 곡(기악곡)이 점차 발전하게 된답니다.

클래식 음악에는 사람의 목소리로 연주하는 성악곡들과 악기로 연주하는 기악곡들이 있어요. 성악곡에는 당연히 가사가 있고 기악곡은 없겠지요. 아마도 유명한 클래식 음악 중 기악곡(교향곡, 실내악, 각 악기의 솔로곡)을 많이 들어보셔서 가사가 없는 음악이 클래식 음악이라고 생각하신 듯합니다.

Q. 클래식 공연을 보러 가고 싶은데 클래식에 대해 하나도 모르는 탓에 어떤 공연을 보러 가야 할지 모르겠어요. 클래식 입문자가 처음으로 접근하기 좋은 클래식 공연이 따로 있을까요?

A. 아무래도 연주곡을 해설해주고 음악을 감상하는 '해설이 있는 음악회'라든지 보다 친숙하고 쉽게 클래식 음악을 접할 수 있는 '청소년을 위한 음악회'라는 타이틀이 있는 음악회가 좋겠습니다. 그리고 큰 공연장이 아닌 소규모 공간에서 이루어지는 작은 음악회도 좋을 것 같아요. 작은 공간에서 이루어지는 음악회들은 연주자의 연주뿐 아니라 호흡과 표정 등 부가적인 요소들을 더욱 잘 느낄 수 있으니 조금 더 음악에 가까이 다가갈 수 있을 것입니다.

음악의 뿌리를 찾아서

오늘날 우리는 다양한 음악으로 인해 행복을 느끼기도, 위로를 받기도 합니다. 이처럼 많은 이들에게 다채로운 감동을 선사하는 음악. 그중에서도 클래식 음악은 '1600년부터 1910년까지 유럽에서 유행한 대중음악이다'라고 음악사에 정의되어있지요. 그렇다면 1600년대 이전에는 어떤 음악들이 존재했던 걸까요?

300년 이상 건재했던 클래식 음악의 뿌리는 과연 무엇이었을지, 중세시대와 르네상스 시대의 음악을 통해 알아보고자 합니다.

그레고리오 성가와 6음의 발단

중세시대는 기독교 문화가 자리를 잡은 1450년까지를 말합니다. 당시의 사람들은 오로지 하느님을 찬양하는 음악만이 완벽한 음악이라 생각했지요. 그로 인해 그들은 교회 안에서 부르는 음악을 가장 중요하게 여겼습니다.

그레고리오 성가Gregorian chant는 당시 종교음악의 가장 기본이 되었던 음악입니다. 교황 그레고리오 1세*가 9세기에서 10세기에 걸쳐 유럽지역에 내려오는 음악을 통합하여, 가톨릭 전례 성가로 만든 것이 바로 이것이지요. 중세 사람들은 이 그레고리오 성가가 하느님에게 영혼을 인도해 준다고 믿었습니다. 그래서였을까요? 이 성가는 그들에게 아주 거룩한 음악으로 여겨지기도 했답니다.

그레고리오 성가는 모두 반주가 없는 무반주 종교음악이었다는 특징이 있습니다. 또한, 모든 가사가 라틴어로 되어있으며, 수도사가 단선율 (하나의 성부로 된 음악)로 노래했던 음악이었지요.

게다가 그레고리오 성가의 음역 폭은 매우 제한되어 있습니다. 음이름 '도'에서 한 옥타브 위의 '도'까지를 8도 음정으로 계산하는데,

---

* 그레고리오 1세(Gregorio I, 540-604) : 로마의 귀족 집안에서 출생하여 귀족 계층의 고급 교육을 받았다. 로마의 시장으로도 활동하였으며, 자신의 집을 수도원으로 설립하고 본인 또한 수도사가 되었다. 이후 넓은 경험과 지식을 바탕으로 최초의 수도사 출신 교황이 되었고, 로마교회의 독립성을 확립하기도 하였다. 성가집인 〈그레고리오 성가집〉과 많은 서적을 통해 종교와 문화에도 큰 업적을 남겼다.

실제로 이 성가의 음역은 10도 음정을 채 넘지 않았다고 하네요.

　사람들의 입에서 입으로 불려 오던 그레고리오 성가는 9세기에 들어서 '네우마Neuma 악보'를 통해 전해지기 시작합니다. 그리스어로 '기호'라는 뜻의 네우마를 사용한 이 악보의 등장으로 사람들은 기록을 통해 더욱 편리하게 음악을 전할 수 있게 되었습니다.

　그러나 네우마 악보를 익히는 것은 쉬운 일이 아니었습니다. 네우마 악보는 음의 길이와 높낮이를 기호화했는데요. 이것을 모두 암기해야만 악보를 읽을 수 있었답니다. 네우마 악보가 현대 기보로 되기까지 음의 길이와 높이를 표현하는 것은 아주 복잡했습니다. 음악을 전공한 저조차도 네우마 악보를 보기란 쉬운 일이 아니거든요.

　이러한 문제 탓에, 중세시대의 수도자인 귀도 다레초*는 '어떻게 해야 많은 이들이 음악을 더욱 쉽게 배울 수 있을까?'라는 고민에 빠지게 됩니다. 그는 고민 끝에 11세기에 '성요한 찬미가'를 이용하여 음계의 명칭인 '웃, 레, 미, 파, 솔, 라(ut, re, mi, fa, sol, la)' 6음을 만들어 냅니다. 그리고 17세기에 들어서 6음의 첫 음정인 'ut'은 발음이 어렵다는 이유로 '하느님, 주님'이라는 뜻을 가진 라틴어 'dominus'로

---

* 귀도 다레초(Guido d'Arezzo, 995~1050) : 중세시대의 수도사이자 음악교육자이다. 수도사들을 상대로 음악을 교육하며 음악이론서인 「미크롤로구스」(기보법과 시창법에 대해 설명한 이론서로, 13세기 대학 교과서로 사용됨)를 편찬하였다. 또한, 오늘날까지 사용되고 있는 음높이에 따른 계이름을 처음 만든 인물이다.

바뀌었는데요. 이 'dominus'가 바로 오늘날의 '도' 음정으로 자리 잡게 된 것이랍니다.

정리하자면, 중세시대는 네우마와 음계의 등장으로 음악사에 큰 영향을 미친 시대입니다. 입에서 입으로만 전해지던 음악을 악보에 기록할 수 있게 되었고, 그 기록으로 당시의 음악을 후세에도 영원히 남길 수 있게 된 것이지요.

음악사에서 음악을 기록할 수 있었다는 것은 실로 엄청난 일이었습니다. 오래전 작곡가의 손끝에서 탄생한 아름다운 선율을 오늘날에도 우리가 듣고 즐길 수 있게 된 것이니 말입니다.

마틴 루터의 코랄 등장

르네상스 시대는 그리스의 로마문화로 돌아가 인간 중심의 문화를 만들어간 시대입니다. 그리고 그 정신이 바로 예술에서 발달 되었는데요. 종교음악뿐 아니라 즐거움과 아름다움을 추구하는 음악이 발전되었고 그리스 로마문화의 부활로 극음악인 오페라가 탄생하기도 하였지요.

당시 음악사의 가장 중요한 기록은 마틴 루터*의 종교개혁에서 찾아볼 수 있답니다. 마틴 루터는 가톨릭교회의 사제이자, 독일 비텐베르크Wittenberg대학의 신학과 교수였습니다. 그는 교황청의 면죄부 판매에 대한 부당함을 알리기 위해, 1517년 독일 비텐베르크 대학 정문에 95개 조의 반박문을 못 박아 걸어두었는데요.

교황청 내부의 갈등과 오랜 기간 치러졌던 십자군 전쟁 등 로마가톨릭의 문제점들이 응집되어, 루터의 반박문으로 표출된 것이었습니다. 게다가 이 사건은 그가 로마 가톨릭교회의 권위에 정면으로 도전하게 되는 계기가 되기도 했답니다.

마틴 루터는 일부 귀족들과 종교 관계자만이 읽을 수 있었던 라틴어 성경을 독일어로 번역하기도 했습니다. 덕분에 많은 이들이 성경을 읽을 수 있게 되었고, 이 번역 안으로 근대 독일어의 표준어가 정립되기도 했지요.

마틴 루터가 신학만큼 중요하게 생각했던 것이 바로 예술이었습니다. 그리고 예술 중에서도 음악을 가장 중시했던 그는, 교중들이 함께 찬양할 수 있는 코랄Choral을 만들었지요. 코랄은 바로 오늘날의 찬송가랍니다.

---

* 마틴 루터(Martin Luther, 1483-1546) : 가톨릭교회의 사제이자, 독일 비텐베르크 대학의 신학 교수이다. 가톨릭교회의 문제점에 대항하여 독일의 종교 개혁을 이루기도 하였다. 성경과 음악을 통해 하느님의 구원을 대중화하였다.

최초의 코랄은 모두가 쉽게 따라 부를 수 있는 구전 민요나, 음유 시인들의 가곡과 같은 세속노래의 단선율에 신앙적인 가사를 붙여 부르는 것이었습니다. 그러나 이것이 점차 발전하여, 4개의 성부가 함께 부르는 다성음악이 되었고, 더 나아가 합창과 연주가 동반되는 음악으로 자리 잡게 된 것이지요. 오늘날 우리가 흔히 알고 있는 다양한 선율의 찬송가가 처음부터 다채로운 음악이 아니었다는 사실! 놀랍지 않나요?

중세시대까지만 해도 음악가들의 교회 내부 활동에는 엄청난 제한이 따랐다고 합니다. 당시에는 수도자만이 교회 안에서 노래할 수 있었고 선율 또한 매우 단조로웠기 때문이지요. 그러나 코랄의 탄생으로, 그들은 활발한 교회 활동을 시작할 수 있었습니다. 단조로운 선율이 다성음악으로 발전되어 연주자와 노래하는 사람들이 많이 필요하게 되었거든요. 게다가 코랄의 등장은 교회음악뿐만 아니라 다양한 음악들이 발전하게 된 계기가 되기도 했답니다.

이처럼 음악사에 아주 큰 영향을 미쳤던 코랄은 현재까지도 클래식 음악의 빛나는 유산으로 기록되어 있습니다.

악보에 표기된 용어를
알아볼까요?

    음악회에 가면, 해당 음악회에서 연주될 곡들이 적힌 프로그램 북을 볼 수 있습니다. 관객들은 이 프로그램 북을 참고하여 음악을 감상하지요.

    프로그램 북이나 악보를 살펴보면 소나타, 발라드, 알레그로 논 트로포, 쏘스테누토, 브릴란테, 코모도 등 도무지 알아들을 수 없는 단어들이 열거되어 있는 것을 볼 수 있는데요. 이처럼 어려운 단어들 때문에 많은 이들이 '역시 클래식 음악은 어렵구나'라는 생각을 하게 되곤

하지요. 그래서 이번 장에서는 클래식 음악에 사용되는 음악용어들을 아주 쉽게 정리해 보고자 합니다.

빠르기를 나타내는 용어

음악에는 '어떤 속도로 해당 곡을 연주할 것인가?'에 따라서, 제각 각 다른 빠르기를 나타내는 용어가 존재합니다. 음악적 표현에 매우 중요한 역할을 하는 이것은 악보의 가장 첫 장에 표기되지요.

　잔잔한 감동과 여운을 전하고자 하는 곡을 연주할 때에는 차분하고 느린 템포, 생동감과 희망 또는 기쁨을 전하고자 할 때는 몸이 들썩이는 빠른 템포를 사용하는데요. 그럼, 시동을 걸고 천천히 빨라지는 기차처럼 아주 느린 템포부터 빠른 템포까지 빠르기 용어를 차례대로 한 번 알아볼까요?

라르고(Largo), 아다지오(Adagio), 렌토(Lento) - 아주 느리게

안단테(Andante) - 느리게

안단티노(Andantino) - 조금 빠르게

모데라토(Moderato) - 보통 빠르게

알레그레토(Allegretto) - 알레그로보다 조금 느리게

알레그로(Allegro) - 빠르게

프레스토(presto), 비바체(vivace) – 아주 빠르게

리타르단도(ritardando) – 점점 느리게

아첼레란도(accelerando) – 점점 빠르게

일상생활 속에서 빠르기 용어로 의사 표현을 해보면 어떨까요?

"빨리빨리 준비해!" → "프레스토로 준비해!"

"천천히 걷자!" → "안단테로 걷자!"

"오늘은 아무것도 하지 않고 쉬고 싶어." → "오늘은 아다지오로 시간을 보내고 싶어."

이렇게 이야기를 하면, 왠지 생활 속에서도 음악을 하는 기분일 것 같네요!

셈여림 용어

음악감상을 하다 보면 어느 순간에 연주자가 아주 크게 연주를 한다거나, 소곤소곤 속삭이듯 작게 연주를 한다는 것을 느끼신 적이 있을 거예요. 이것은 소리의 크기, 즉 악상과 관련이 있는데요. 연주자들이 악보에 표기되어있는 악상을 보며 그대로 연주를 하기 때문이지

요. 자 그럼, 소리의 크기와 관련된 악상 용어를 정리해 볼까요?

피아니시모(PP) - 매우 작게

피아노(P) - 작게

메조 포르테(mf) - 조금 크게

포르테(f) - 크게

포르티시모(ff) - 매우 크게

크레센도(cresendo) - 점점 크게

디미누엔도(diminuendo) - 점점 작게

클래식 악기 중 이러한 악상 기호, 즉 셈여림 용어에서 이름을 따온 악기가 있는데요. 바로 피아노입니다. 피아노는 원래 피아노포르테(pianoforte)라는 이름으로 불러 지다가, 그 이름을 줄여 피아노(piano)라고 불리게 되었지요.

피아노가 피아노포르테라는 이름을 가지게 된 데에는 특별한 이유가 있다고 합니다. 피아노가 등장하기 이전부터 존재하던 쳄발로나 하프시코드 같은 건반 악기는 모두 똑같은 크기의 소리 밖에 낼수 없었는데요. 피아노는 기존 건반 악기의 한계를 뛰어넘고 소리의 크기를 조절하여 활발한 표현이 가능했던 것입니다. 이러한 이유로 '작게, 크게'라는 뜻의 피아노포르테(pianoforte)라는 이름을 가지게 된 것이지요.

나타냄말

작곡가들은 음악을 작곡할 때, 자신이 원하는 감정표현을 나타냄말 용어로 표기해 두었습니다. 격정적으로, 불과 같이, 열정을 가지고, 화려하게, 부드럽게, 노래하듯이, 자유롭게, 슬프게 등의 감정표현을 악보에 표기해 둔 것이지요.

연주자들은 작곡가가 표기해 둔 나타냄말을 보고, 자신의 감정을 실어 연주합니다. 연주자마다 감정을 느끼는 법이나 표현하는 법은 모두 다르므로, 이 부분에서 음악의 재창조가 이루어지는 것이지요. 같은 곡을 연주하더라도 연주자마다 차별된 느낌을 전달해 주는 것. 이것이 바로 300년이라는 오랜 역사를 가진 클래식 음악이 지금까지도 사랑받고 있는 이유 중 하나랍니다.

아마빌레(amabile) - 사랑스럽게

돌체(dolce) - 부드럽게

칸타빌레(cantabile) - 노래하듯이

브릴란테(brillante) - 화려하게

에스프레시보(espressivo) - 표정 있게

에너지코(energico) - 힘차게

트란퀼로(tranquillo) - 차분하게, 고요하게

콘 푸오코(con fuoco) - 열정적으로

이탈리아 바이올린 악기제작 가문에 대한 박사 논문을 쓸 때였습니다. 논문의 자료를 모으기 위해 이탈리아에 방문한 적이 있었지요. 그곳에서 자동차로 이동하던 중, 도로 위 표지판에서 아주 낯익은 이탈리아어를 보게 되었습니다. 표지판에는 '트란퀼로'라는 단어가 쓰여 있었는데요. '음악용어가 왜 도로 위에 있을까?' 생각하며 의아했던 기억이 납니다. 표지판의 '트란퀼로'는 사고가 잦은 지역이니, 차분하게 살펴 조심히 운전하라는 뜻을 전하고 있었습니다.

우리가 쓰는 음악용어들은 주로 라틴어나 이탈리아어에서 차용되는데요. 예상치 못한 순간에 도로에서 음악용어를 만나게 되니, 마음이 한결 부드러워지는 것 같았습니다. 게다가 장시간 운전의 스트레스와 여행의 피로 또한 풀리는 것 같았답니다.

악곡 이름

클래식 곡들의 제목을 보면, 모두 하나같이 너무 길다는 생각을 해보신 적 없나요? 예를 들자면, '차이코프스키 피아노 협주곡 1번 내림나장조 작품번호 23(P.Thaikovsky piano concerto no.1 B♭ Major op.23)' 처럼 말이지요.

작곡가 차이코프스키와 악기 이름인 피아노는 알겠는데, 그 뒤로부터는 도무지 어떤 말인지 알 수가 없다고요? 그럼 이번에는 악곡의 이름을 정리하는 시간을 가져보도록 하겠습니다.

Thaikovsky piano concerto no.1 B♭ Major op.23

작곡가의 이름과 피아노 다음으로 오는 'concerto no.1'는 연주하는 형태에 따른 곡의 이름을 의미합니다. 연주 형태에 따른 곡의 이름을 간단히 정리하면 아래와 같지요.

- 콘체르토(concerto): 독주 악기와 오케스트라가 함께 연주하는 곡
- 칸타타(cantata): 노래로 연주하는 곡
- 소나타(sonata): 악기로 연주하는 기악곡
- 카논(canon): 돌림노래처럼 2, 3 성부가 같은 선율에 시간 차이를 두고 똑같이 모방하며 연주
- 왈츠(waltz): 3/4박자의 오스트리아 춤곡
- 폴카(polka): 신나는 2박자의 춤곡
- 녹턴(noctune): 형식의 제약 없이 느리게 몽환적으로 연주하는 곡
- 심포니(symphony): 관현악으로 연주되는 다악장의 곡

그러니까 'concerto no.1'은 피아노와 오케스트라가 함께 연주하는 1번 곡이라는 뜻이 되겠네요.

Thaikovsky piano concerto no.1　B♭ Major　op.23

자 그럼, 차이코프스키의 피아노 콘체르토 1번까지는 정리가 되었네요. 그렇다면 그 뒤의 'B♭ Major'은 어떤 뜻일까요?

'B♭ Major'는 내림나장조라는 뜻입니다. 이 곡을 주도하는 으뜸음이 내림나(시 플렛)라는 것을 의미하지요. 으뜸음인 내림나를 기본으로 하고 다른 음들은 종속되어 움직이게 됩니다.

조직에서 팀을 이끄는 리더의 역할에 따라 그 조직의 색깔이 변하기도 하지요? 이처럼 어떤 음이 한 곡의 으뜸음이 되느냐에 따라, 그 곡의 전체 분위기가 바뀌기도 한답니다.

Thaikovsky piano concerto no.1　B♭ Major　op.23

마지막으로 'op.23'은 무엇일까요? 먼저 op는 opus의 약자입니다. 라틴어로 음악작품이라는 뜻이지요. 대부분의 음악작품은 작곡된 순서에 따라 일정한 일련번호를 가지는데요. 따라서 위 곡은 차이코프스키가 23번째로 작곡한 곡이라는 것을 알 수 있지요.

우리는 이 작품번호를 통하여, 해당 곡이 작곡가의 일생 중 어느 시기에 작곡된 것인지를 알 수 있습니다. 그러나 몇몇 작곡가의 곡들은 작곡가가 세상을 떠나고 난 이후에 작품번호가 정리되기도 하는데요. 이 경우에는 op 번호가 아닌, 곡을 연구하고 정리한 사람의 이름 약자를 번호 앞에 붙인답니다.

예를 들자면, 모차르트의 작품은 오스트리아의 쾨헬이 정리하여

‘K’, 하이든의 작품은 네덜란드의 호보켄이 정리하여 ‘Hob’, 비발디의 작품은 덴마크의 리용이 정리하여 ‘RV’를 붙였답니다. 또한, 바흐의 작품은 오스트리아 볼프강 슈미더가 정리했는데, 그는 자신의 이름이 아니라 ‘바흐의 작품번호’라는 뜻의 약자인 ‘BWV’를 사용했지요. 덕분에 우리는 이 약자만 보아도 해당 곡이 어떤 작곡가의 곡인지 알 수 있답니다.

　이 정도만 알아두어도 클래식 공연을 볼 때, 프로그램 북에 적힌 곡의 제목쯤은 어렵지 않게 읽을 수 있겠지요?

Classical music

오페라 이야기

"오페라는 인간의 지혜가 만든 최고의 오락이다."

- 스탕달

오페라의 유령, 지킬 앤 하이드, 맘마미아 등 뮤지컬은 요즘 인기 있는 음악 장르 중의 하나이지요. 이번 장에서는 바로 이 뮤지컬의 조상이라고 할 수 있는 오페라에 대해 알아보려고 합니다.

오페라의 탄생

여러 가지 음악 장르들은 각각의 장르가 완성되기까지 음악사 안에서 오랜 시간에 걸쳐, 차근차근 발전해 왔습니다. 그러나 일반적인 것과는 달리, 갑작스레 생겨난 음악 장르가 있는데요. 바로 오페라opera입니다.

　오페라는 1600년 이탈리아 피렌체 메디치 가문*의 모임인 '카메라타'**에서 탄생하였습니다. 메디치 가문은 15세기에서 17세기 이탈리아 피렌체의 실세로, 막강한 권력과 부를 가지고 있었는데요. 화가 보티첼리, 미켈란젤로, 레오나르도 다빈치 등의 예술가들을 후원해서 당시 문화를 보급하고 발전시키는 데에도 큰 역할을 하였지요.

　메디치 가문의 모임 카메라타는 일종의 예술동아리였습니다. 카메라타가 활동하던 시기는 고대 그리스 로마의 문화가 부흥했던 르네상스 시대***였는데요. 그들은 그리스의 비극을 내용으로 멋진 극음악을 만들고자 했습니다. 그래서 갑작스레 탄생한 장르가 바로 오페라이지요.

---

* 메디치 가문(casa de Medici) : 15세기에서 17세기까지 피렌체의 경제와 문화적 발전을 이룬 가문이다. 금융업 가문으로 정계에도 진출하여 막강한 권력을 행사하였다. 또한, 3명의 교황을 배출하기도 했다.
** 카메라타(Camerata) : 이탈리아어로 '방'이라는 뜻을 가진 'camerata'에서 유래된 이름이다. 1573년부터 1587년까지 메디치 가문의 바르디(Giovanni de Bardi)가 주최한 당시의 문인과 음악가들의 모임이다.
*** 르네상스(Renaissance) : 14세기에서 16세기까지를 말하며, 예술의 재생과 부활이라는 의미의 문화사조이기도 하다. 중세시대는 문화의 암흑기로 보고, 이전의 시대로 돌아가 부흥하려 했던 시기이다. 고대 그리스 로마의 문화를 부활하면서 새로운 문화를 만들고자 했다.

그렇다면 오페라는 무엇일까요? 오페라의 정의는 바로 연극을 노래로 하는 것입니다. 그럼 마찬가지로 노래와 연극이 어우러진 뮤지컬과 판소리도 오페라의 일종인 걸까요? 정답을 먼저 이야기하자면, 아닙니다. 뮤지컬과 판소리, 오페라는 엄연히 다른 장르의 음악인데요. 과연 그 이유가 무엇인지 알아봅시다.

　　오페라가 다른 음악극(뮤지컬, 판소리)들과 다른 점은 바로 대사가 없다는 것입니다. 오페라는 연극의 모든 부분에 선율이 존재하지요. 그 중 오페라 속의 노래를 '아리아Aria'라고 부른답니다. 아리아는 오페라 속 주인공들이 감정을 선율에 담아 부르는 노래랍니다.

　　또한, 아리아와 아리아 사이에는 '레시타티보recitativo'라는 것이 존재하는데요. 아리아의 사이를 연결해 주는 레시타티보는 오페라의 전체 줄거리를 이끌어가지요. 주인공들이 중얼거리며 대사처럼 단조로운 노래를 하는 것이 바로 이것이랍니다.

　　정리하자면, 뮤지컬과 판소리는 '노래'와 '대사'로 구성되지만, 오페라는 '노래'와 '레시타티보'로 구성된다는 것을 알 수 있지요. 덧붙여 오페라의 아리아는 음악적인 표현이라면, 레시타티보는 오페라의 실제 내용을 전달하는 역할을 하는데요. 우리가 오페라 「리골레토」의 '여자의 마음은 갈대', 「카르멘」의 '투우사의 노래', 「마적」의 '밤의 여왕', 「사랑의 묘약」의 '남몰래 흐르는 눈물'처럼 오페라 작품의 아리아 멜로디는 기억해도 레시타티보는 기억하지 못하는 이유가 바로 이것 때문이지요.

오페라는 그리스의 비극을 표현하기 위해 만들어졌기 때문에, 그 내용이 대부분 비극적인 사랑 이야기인 경우가 많습니다. 여자 주인공이 한 남자와 사랑에 빠지지만, 결국 사랑을 지키지 못하고 죽음에 이르게 되는 슬픈 멜로가 가장 대표적인 이야기이지요. 그리스 철학자인 아리스토텔레스의 "오직 비극만이 인간의 마음을 깨끗하게 한다"는 말처럼, 눈물 콧물을 펑펑 쏟으며 한바탕 울고 나면 속이 시원해지는 것을 느낄 수 있지요? 바로 이러한 이유로 신파조의 오페라가 많은 이들에게 엄청난 인기를 얻을 수 있었답니다.

오페라 속 주인공들의 목소리

오페라 가수들은 남녀의 목소리 높이에 따라 성부가 나뉘게 됩니다. 여성의 성부는 음이 높은 것부터 순서대로 소프라노soprano, 메조 소프라노mezzo soprano로 구분되고, 남성 역시 같은 순서로 테너tenor, 바리톤baritone, 베이스bass로 구분되지요.

성부에 따라 역할이 달라지기도 하는데요. 주로 여자 주인공은 소프라노, 여자 주인공의 친구나 어머니 역할의 인물이 메조 소프라노를 맡게 됩니다. 또한, 테너는 남자 주인공, 바리톤이나 베이스는 남녀 사이의 사랑에 끼어드는 방해자나 아버지 역할로 등장한답니다.

16세기 오페라 아이돌

발성 교육을 통해, 여성의 성부를 부르는 남성을 카운터테너counter tenor라고 합니다. 그러나 17세기 이전에는 여성 성부를 부르는 남성을 다른 말로 칭하였다고 하는데요. 과연 여성처럼 높은 목소리를 냈던 그들을 뭐라고 칭하였는지 알아볼까요?

17세기 이전 유럽 성당에서 여성들은 노래할 수가 없었습니다. 당시 노래할 수 있었던 것은 오직 남성들뿐이었지요. 그래서 당시 사람들은 변성기 전의 소년을 거세시켜 고음을 얻게 하기도 하였는데요. 이때 여성처럼 고음을 가진 남성을 바로 '카스트라토castrato'라고 불렀답니다.

그들은 당대에 엄청난 인기를 누렸습니다. 작곡가들은 오페라 공연에 유명한 카스트라토를 주인공으로 세우기 위해 치열하게 경쟁하기도 했지요. 높은 출연료에도 불구하고 그들을 찾는 무대는 아주 많았답니다.

자, 오페라가 무엇인지 이제 조금 알게 되었나요? 오페라는 연기,

노래, 무대장치, 연출 등이 융합된 종합예술이자, 오랜 시간 많은 이들에게 사랑받고 있는 음악 장르랍니다. 여러 가지 요소들이 합쳐진 종합 선물세트 같은 음악 오페라. 이번 주말에는 여러분도 오페라 한 편 보러 가 보는 건 어떨까요?

오페라 공연을 즐기는 한 가지 Tip

오페라 공연에서 성악가들이 멋지게 아리아를 부르고 난 후, 관객들이 박수를 보내며 환호하는 모습을 본 적이 있을 거예요. 이때 관객들은 보통 '부라보'라는 말을 외치며 환호를 보내곤 하는데요. 사실 남성, 여성, 단체 연주자에 따라 환호할 때 외치는 단어가 달라진다는 것 알고 있나요? 과연 어떤 차이가 있는지 알아볼까요?

여성 성악가가 노래할 땐, 부라바Brava
남성 성악가가 노래할 땐, 부라보Bravo
두 명 이상의 성악가가 노래할 땐, 부라비Bravi

사소하지만, 알아두면 좋을 팁이랍니다.

마에스트로, 지휘자는 누구인가?

여러 악기가 함께하는 오케스트라 연주나 노래하는 사람이 여러 명인 합창 무대를 보면, 가장 앞에서 열심히 몸을 흔들며 연주를 이끄는 사람을 볼 수 있습니다. 바로 지휘자, 마에스트로Maestro입니다.

많은 사람이 '지휘자는 뭘 하는 사람이에요?', '연주자들이 지휘자를 쳐다보지 않는 것 같던데, 보긴 하는 건가요?'라는 질문을 던지곤 합니다. 그렇다면 과연 무대 위에서 지휘자의 정확한 역할은 무엇인지 알아볼까요?

지휘자는 무슨 일을 하는가?

지휘자는 관현악이나 합창과 같은 집단 연주에서 음악의 시작과 끝, 박자, 악상, 음악적 표현에 따른 리듬 변화 등을 알려주는 역할을 합니다. 다시 말해, 작곡가가 악보에 표기해 둔 음악적 변화들을 알려주고 지휘자가 음악적으로 해석한 표현 방법을 지시하는 역할을 하는 것이지요.

지휘자는 자신이 해석한 음악적 표현을 전달하므로, 작품을 재창조하는 역할을 한다고 볼 수도 있습니다. 실제로 같은 오케스트라나 합창단도 지휘자에 따라 음악을 표현하는 방법(악상, 박자, 리듬 변화 등)이 달라지기도 한답니다.

외국 남성들이 가장 되고 싶어 하는 직업 1위가 지휘자라는 이야기를 들은 적이 있습니다. 지휘자는 큰 배의 선장과 같은 역할로, 많은 사람을 이끌고 아울러야 하지요. 그 때문에 존경을 담는 의미로 마에스트로Maestro라고 불리기도 하는데요. 이처럼 다양한 역할을 가지고 있는 지휘자는 과연 언제부터 무대에서 볼 수 있었던 걸까요?

지휘자의 탄생

중세시대부터 여러 사람이 함께 연주할 경우, 연주자 중 한 사람이 선율의 움직임을 알려주었다고 합니다. 그러나 본격적으로 '사인 Sign'의 개념이 생긴 것은 17세기와 18세기였는데요. 당시에는 주요 멜로디를 연주하지 않고 베이스로 반주의 역할을 하는 연주자(오르간, 쳄발로)가 다른 연주자들에게 사인을 주었습니다. 하지만 이것은 연주자들의 수가 20명 안팎일 때에나 가능한 일이었지요. 점점 연주자의 수가 많은 대규모 편성의 곡들이 생겨나고 연주 시간 또한 길어지면서, 연주하며 지휘를 한다는 것은 거의 불가능한 일이 되어버렸습니다. 그래서 지휘자의 역할을 해 줄 사람이 필요하게 되었지요.

처음에는 작곡가가 자신의 곡을 직접 지휘했다고 합니다. 하이든, 모차르트, 베토벤 등 작곡가가 자신의 작품을 초연하며 지휘했다는 것은 흔히 들어볼 수 있는 이야기이지요. 베토벤의 지휘 일화 중 재미있는 이야기가 하나 있는데요. 그는 지휘할 때, 소리를 작게 내는 부분에서는 악보를 거치하는 보면대 아래로 들어갈 정도까지 몸을 움츠렸다가, 소리를 크게 내는 부분에서는 점프하며 마치 새가 날아오르듯 움직이기도 했다고 합니다.

19세기에 들어와 지휘만을 전문적으로 하는 직업 지휘자가 등장하게 되었고, 이것이 오늘날까지 이어지게 된 것입니다. 그런데 사실 초기의 지휘자는 현재와 조금 다른 모습이었다고 하는데요. 당시 지휘자는 큰 나무막대기로 바닥을 꽝꽝 치며 사인을 보냈다고 합니다. 들기만 해도 음악감상에 큰 불편함이 있었을 것 같지 않나요? 또한, 이와 같은 방법으로 지휘한다면 실수로 자신의 발등을 찧게 될 수도 있을 것 같은데요. 실제로 프랑스의 작곡가인 장 바티스트 륄리Jean Baptiste Lully, 1632-1687는 지휘 중 자신의 발등을 찧어 그 부상으로 인해 사망까지 이르렀다고 합니다.

이후 지휘 방식부터 지휘봉까지 많은 부분이 변화되었습니다. 최초로 지휘봉을 사용한 지휘자는 작곡가인 멘델스존이라고 하네요.

오늘날에도 지휘자의 꿈을 꾸고 있는 어린 음악도들이 많습니다. 지휘자가 되려면 기본적으로 피아노 교육을 받고, 음악적인 이론과 화성 등의 교육을 받아야 하지요. 보통 대학에 입학하여 지휘 전공으로 공부를 시작하는데, 다른 악기나 노래를 전공하다가 지휘로 진로를 바꾸는 이들도 있답니다.

유명한 지휘자

음악사에는 세계적으로 아주 유명하고 실력 있는 지휘자들이 많습니다. 그중 개인의 음악적 취향에 따라서 좋아하는 지휘자들 또한 모두 다를 텐데요. 이번 편에서는 제가 가장 좋아하는 지휘자 두 명을 소개해 보고자 합니다.

마리스 얀손스Mariss Jansons, 1943-2019는 리투아니아 출신의 지휘자입니다. 1943년에 태어난 그는 네덜란드 로얄 콘세르트헤보우 오케스트라와 독일의 바이에른 교향악단을 이끌었지요.

6년 전쯤 한국에서 그가 지휘하는 드보르작 교향곡 9번 '신세계로부터'를 들었는데요. 그 작품이 그토록 아름다운 곡이었는지 경탄을 하며 들었던 기억이 있답니다. 음악 안에 색채감을 불어넣어, 음악이 마치 그림처럼 눈앞에 다가오게 만드는 지휘자였습니다.

베네주엘라 출신의 구스타보 두다멜Gustavo Dudamel, 1981-은 1981년 출생하였습니다. 아직 젊은 나이임에도 불구하고 유명한 지휘자 중 한 명이지요. 현재 LA 필하모니의 상임 지휘자로 활동하는 그는 '엘 시스테마'*라는 시스템 아래에서 음악교육을 받았는데요. 이 시스템은 음악을 통해 긍정의 힘을 끌어내어 사회를 변화시키고자 하는 것으로 유명하답니다.

지휘자 두다멜을 통해 음악이 주는 힘을 확인할 수 있었는데요. 그는 10세 때부터 엘 시스테마의 프로그램에 참여하여 바이올린, 작

---

* 엘 시스테마(El sistema) : 빈민층의 청년, 유소년을 대상으로 하는 베네수엘라 국립 오케스트라 시스템이다. 마약과 범죄에 노출된 베네수엘라의 빈민층 아이들을 보호하고, 무상으로 음악을 교육하는 프로그램을 운영한다. 현재 정부와 세계 음악인들이 후원하는 음악교육 시스템으로 정착하였다.

곡, 지휘를 공부하였고 17세에 시몬 볼리바르 청소년 오케스트라의 음악감독이 되었답니다. 유럽과 미국을 오가며 이 오케스트라와 함께 연주 여행을 다녔고, 그로 인해 실력을 인정받았지요. 2004년에는 국제 지휘자 콩쿠르인 '구스타프 말러 국제 지휘 콩쿠르'에서 대상을 받음으로써, 전 세계인들이 그가 공부하며 성장한 엘 시스테마의 프로그램에 관심을 두게 되었습니다. 또한, 여러 나라가 엘 시스테마의 영향을 받아, 음악교육에 새로운 시도를 하고 있지요.

이후 구스타보 두다멜은 2009년부터 LA 필하모니를 이끌게 되었고, 생동감 넘치며 진취적인 음악에 열정을 표하고 있습니다. 또한, 어려운 가정형편에서도 음악가를 꿈꾸고 있는 어린 친구들에게 롤모델이 되는 지휘자이기도 하답니다.

Fun한 클래식 이야기

초판 1쇄 발행	2020년 11월 17일
지은이	김수연
펴낸이	신민식
펴낸곳	가디언
출판등록	제2010-000113호
주 소	서울시 마포구 토정로 222 한국출판콘텐츠센터 306호
전 화	02-332-4103
팩 스	02-332-4111
이메일	gadian7@naver.com
홈페이지	www.sirubooks.com

ISBN 979-11-89159-74-0 (03670)

이 도서의 국립중앙도서관 출판예정도서목록(CIP)은 서지정보유통지원시스템 홈페이지
(http://seoji.nl.go.kr)와 국가자료공동목록시스템(http://www.nl.go.kr/kolisnet)에서
이용하실 수 있습니다.(CIP제어번호: CIP2020045783)